Maria da Salete Gomes

16.05.2013

OS CRISTÃOS

Maria da Salete Gomes

16.05.2013

Trilogia

OS CRISTÃOS

Volume 1

O Manto do Soldado

Volume 2

O Batismo do Rei

Volume 3

A Cruzada do Monge

Max Gallo

OS CRISTÃOS

O Manto do Soldado

Volume 1

Tradução
Eloá Jacobina

BERTRAND BRASIL

Título original: *Le Manteau du Soldat*

Capa: Sérgio Campante

Editoração: DFL

2007
Impresso no Brasil
Printed in Brazil

CIP-Brasil. Catalogação na fonte
Sindicato Nacional dos Editores de Livros, RJ

M162m Gallo, Max, 1932-
O manto do soldado/Max Gallo; tradução Eloá Jacobina. – Rio de Janeiro: Bertrand Brasil, 2007.
266p. : – (Os cristãos; v. 1)

Tradução de: Le manteau du soldat
Continua com: O batismo do rei
ISBN 978-85-286-1295-0

1. Martinho, Santo, Bispo de Tours, ca. 316-397 – Ficção. 2. Cristianismo – História – Ficção. 3. França – História eclesiástica – Ficção. 4. Romance francês. I. Jacobina, Eloá. II. Título. III. Série.

07-3988 CDD – 843
CDU – 821.133.1-3

EDITORA BERTRAND BRASIL LTDA.
Rua Argentina, 171 — 1º andar — São Cristóvão
20921-380 — Rio de Janeiro — RJ
Tel.: (0xx21) 2585-2070 — Fax: (0xx21) 2585-2087

Para Marc Bloch

Maria da Salete Gomes

16.09.2013

"Não é no conhecimento que está o fruto, é na arte de apreendê-lo."

SÃO BERNARDO, *Sobre a consideração*

SUMÁRIO

PRÓLOGO

O batizado

Eu esperava nos degraus da igreja de Saint-Sulpice, no sábado, 20 de outubro de 2001.

O batizado de Antônio, filho de Remi e Ângela, estava marcado para as dezesseis horas.

Acompanhei os pais e o recém-nascido até o batistério situado na ala esquerda da igreja e troquei algumas palavras com o padre V., um dominicano que se preparava para oficiar o ato.

Era um homem imponente de cabelos cortados à escovinha, rosto enérgico, olhar velado.

Ele me tomou o braço e me arrastou numa lenta caminhada em volta do batistério octogonal.

— Conheço seus livros — disse-me ele. — O senhor está no caminho certo. Busca a unidade. Já leu os sermões de são Bernardo? Ele diz em um deles: "O necessário é a unidade, essa parte excelente que nunca mais nos será tirada. A divisão cessará quando a plenitude chegar."

Parou um instante e virando-se para mim:

— Por que não começa a escrever um grande livro sobre os cristãos? A maneira como a Gália foi evangelizada e se tornou a França ainda é pouco conhecida, misteriosa, opaca para a maior parte dos franceses. Quem conhece a vida de são Martinho, as circunstâncias do batismo de Clóvis ou a obra de pedras e palavras de Bernardo de Clairvaux? Eis os três pilares que sustentam o edifício da fé em nosso país. Pense nisso!

Ele me arrastou de novo.

— O batismo de Clóvis... — murmurou. — Para o cristão — prosseguiu em voz alta mostrando-me Antônio no colo de Ângela —, o batismo é o momento capital, a entrada para a comunidade dos crentes, para o seio da Igreja, o ato pelo qual tudo se torna possível. Mas o de Antônio tem uma significação particular. É por isso que sou imensamente grato a Remi por me ter escolhido para celebrá-lo.

Interrompeu-se, deu alguns passos em silêncio.

— O senhor conhece melhor do que eu a trajetória de Remi. Ele se ter decidido por este ato será levado em conta não só para ele e Ângela, como, naturalmente, para o filho e todos os que assistirem a esta cerimônia, mas também para nosso país. Estou convencido disso. Antônio é um prenome que evoca a sede de absoluto, a que animava o primeiríssimo de todos os primeiros monges,* o que se retirou no deserto para estabelecer uma relação mística com Deus. Talvez seja o indício de que estamos às vésperas de um novo ímpeto da fé.

O padre V. parou, depois acrescentou:

— Num dos sermões sobre o Cântico dos Cânticos, são Bernardo diz: "Eis a hora derradeira, a noite avança, o dia se aproxima, a claridade da aurora já o anuncia enquanto a noite exala seu último suspiro." E ainda: "A vida retorna nos rastos da morte como a luz retorna nos passos da noite."

O padre V. soltou meu braço e estendeu as mãos para Antônio.

— Este batismo — disse ele — é um ato de esperança.

Despediu-se de mim com um gesto de cabeça e foi juntar-se a Remi e Ângela.

Deixei o batistério e saí da igreja para esperar na escada a hora da cerimônia.

Amo a praça Saint-Sulpice, que se estende diante do local de culto como um vasto átrio, um imenso quadrilátero de luz.

A circulação nas ruazinhas ao redor era intensa nessa tarde de um sábado de outubro. Mas, apesar do barulho, eu ouvia distintamente o rumor da água que jorrava da fonte erguida no centro da praça.

O céu por entre os telhados de ardósia e zinco era de um azul vivo, imaculado.

---

* Referência a santo Antão (Antônio), assim chamado para diferenciar de santo Antônio de Pádua, ou de Lisboa, muito cultuado em Portugal e no Brasil. (N.T.)

Uma parte de minha vida, mais de dez anos, desenrolara-se num dos prédios de esquina onde eu ocupava um minúsculo escritório. E foi ali, naquele escritório, que, há trinta anos, numa tarde de 28 de junho de um ano sinistro, vieram comunicar-me o suicídio de minha filha de 16 anos.

Ainda é como se fosse hoje.

Sem refletir, como por instinto, eu corri para a igreja e me ajoelhei.

Recitei as primeiras orações de minha infância, que eu acreditava esquecidas, mas que, naquele instante, me vieram à memória como as únicas palavras capazes não de atenuar a dor, mas de me fazer aceitar o que me parecia inconcebível.

Tive desejo de me deitar nas lajes da nave, diante do altar, os braços em cruz, e ali permanecer imóvel. Pensei então — e esta ferida nunca mais deixou de arder — que eu não batizara minha filha, cuja vinda ao mundo não fora desejada por sua mãe nem por mim.

Várias vezes até levantamos a idéia de que podíamos — de que devíamos — interromper essa gravidez que viera cedo demais, quando ainda éramos estudantes recém-saídos da adolescência. Mas, naquele tempo, o aborto era uma aventura que, além do mais, nos repugnava. E desistimos da idéia.

Contudo, nessa igreja de Saint-Sulpice, no dia da morte de minha filha, tive consciência — acreditei — que Deus nos havia punido porque não a desejáramos bastante para ficarmos felizes com seu nascimento e havíamos negligenciado o seu batizado.

No momento em que eu ia me atirar sobre as pedras da nave, um amigo que me seguira desde o escritório envolveu meus ombros e me amparou, levando-me para fora da igreja.

A luz insolente daquele dia de um verão juvenil ofuscou-me. Fiquei muito tempo parado na escada, diante da praça, incapaz de dar um passo, de voltar à vida depois dessa morte.

E ali estava eu, trinta anos mais tarde, na entrada dessa mesma igreja, ainda vivo, ainda com esta ferida, este corte que me dilacerava, mas com o qual me acomodara covarde e convenientemente ao longo de todos esses anos.

Contudo, neste sábado, 20 de outubro de 2001, eu ia assistir ao batizado de Antônio.

Vi entrarem na igreja os amigos que iam participar da cerimônia.

Pareceu-me que se apressavam em subir os degraus, como se não quisessem ser vistos, reconhecidos.

Minha presença na entrada, imóvel, braços cruzados, parecia incomodá-los.

Sabia que em nossos respectivos passados, de que fomos testemunhas recíprocas, a fé nunca encontrara abrigo. Quem de nós ousaria falar de Deus e da Igreja quando havia tanto a fazer para mudar o mundo aqui de baixo?

Dissimulei o suicídio de minha filha; o sentimento de culpa que me atingira ali, nessa nave, fizera ressurgir em mim tudo o que eu havia conservado de crença, mas, se mantive aberta esta ferida no decorrer dos anos, de novo expulsei Deus de meus pensamentos, reconquistado pelos combates e debates da terra rasa que enchiam nossas vidas de ruídos e furores.

Escrevi livro após livro como quem ergue um parapeito, como quem constrói um refúgio. Já não me lembrava de algum dia ter evocado a fé, a religião de tantos homens, ou esboçado a figura de Deus. Meu céu era vazio. E meus amigos de então — os que eu reconheci quando se precipitavam para dentro da igreja de Saint-Sulpice, neste dia de outubro — também haviam calado, ignorado, esquecido o vínculo com a religião de suas origens.

O convite de Remi para o batizado do filho obrigava-nos a tirar a máscara que usávamos desde os anos de 1970-1980. Naquela época, já não éramos jovens. Se alguém dissesse que nos reencontraríamos no ano I do terceiro milênio para assistir ao batizado do filho temporão de Remi, nós o teríamos chamado de maluco e não daríamos muita atenção a essa predição disparatada.

O futuro — estávamos convencidos — já não podia estar ligado às velhas religiões que se deterioravam. E muito menos à nossa, a católica. Não íamos chorar por ela, muito ao contrário. Que seja enterrada sob suas transigências com os poderes, que as igrejas vazias sejam transformadas em salões de baile ou de conferências! E que os padres se casem, se tornem tão indistintos quanto a multidão! Amém!

Zombávamos quando alguém lembrava a suposta profecia de Malraux que pretendia que o século XXI seria espiritual, ou não seria.

Era mesmo o discurso ridículo e enfático de um mistificador, ministro do general De Gaulle ainda por cima!

Daí em diante, alguns de nós tornam-se gaullistas e relêem as obras de Malraux. Nossos belos engajamentos daquele tempo revelam-se o que foram: divertimentos e engodos.

Nesse sábado, 20 de outubro de 2001, enquanto os comentaristas mencionavam os primórdios de uma guerra de religião já proclamada, organizada pelos terroristas islâmicos, Remi, que considerávamos o mais rígido de nós e o que mais correra riscos pessoais, ia levar o filho para o padre V. fazer o sinal-da-cruz na testa da criança e aspergi-la três vezes com água benta.

Assim seguem as vidas.

Vi chegarem os últimos convidados: Gisela, Claude, Sami. Cumprimentaram-me com um tímido aceno de mão como se quisessem pedir desculpas por estarem também ali.

Gisela se aproximou.

— Nunca assisti a um batizado — sussurrou-me.

Depois me perguntou com um traço de inquietação na voz:

— Não vai entrar?

Talvez imaginasse que eu estava representando uma espécie de protesto, um misto de presença amigável e postura anticlerical, como a desses ateus ferrenhos que acompanham o enterro de um amigo morto até a porta da igreja, mas se recusam a pôr os pés dentro dela.

Percebi que Gisela hesitava, tentada a se juntar a mim.

Ela olhou para Claude e Sami que a esperavam alguns degraus acima.

— Vou — respondi-lhe. — Eu sou religioso.

Ela pareceu desconcertada, balançou a cabeça, riu alto demais e se afastou, repetindo:

— Você também, como Remi...

Havia um quê de desprezo, de espanto e até um pouco de inquietação em sua voz.

Virei a cabeça. Vi a água jorrar e borbulhar, impávida, no centro da praça.

Pensei em todos os que não vieram. E de repente me ocorreu um pensamento de santo Agostinho e, surpreso de recordá-lo, lembrei que cogitara usá-lo como epígrafe num de meus livros, mas desistira.

Murmurei o pensamento, comovido até as lágrimas.

Ele me falava de minha filha, mas também de Nikos, de Pierre, de Louis, nossos amigos que não viriam assistir ao batizado de Antônio.

Nikos se suicidara na década de 1970 como se tivesse descoberto, antes de todo mundo, o fracasso desse nosso século.

Pierre tinha sido assassinado, mas tantas vezes provocara os assassinos que sua morte foi anunciada; é bem possível até que ele a desejasse.

Quanto a Louis, que havia tentado pensar nosso mundo, acabou por perder a cabeça. Enlouqueceu e se tornou criminoso.

Também faltaram ao batizado os que preferiram mergulhar nos meandros dos poderes exercidos sobre os homens e as coisas, não passar de uns ambiciosos, possuidores cegos e surdos, avarentos.

Comecei a subir os degraus recitando para mim mesmo o pensamento de santo Agostinho:

> Vede essas gerações de homens na terra como folhas nas árvores, estas árvores, a oliveira e o louro, que sempre conservam suas folhas. A terra produz os humanos como folhas. Ela é prenhe de homens que se sucedem. Uns brotam enquanto outros morrem. Essa árvore também nunca se despe de seu manto verde. Olha para baixo, tu andas sobre um tapete de folhas mortas.

Entrei no batistério.

O padre V. já começara o ofício. Vendo-me, fez uma breve interrupção. Achei que se dirigia apenas a mim quando disse que todos devíamos meditar sobre o sermão de são Bernardo. Com voz firme, ele destacava cada palavra, e tive a impressão de que pousava a mão em minha nuca e me forçava a baixar a cabeça.

— "O Verbo veio a mim, e muitas vezes. Muitas vezes ele entrou em mim e não me apercebi de sua chegada, mas percebi que ele estava lá e me lembro de sua presença. Mesmo quando pude pressentir sua entrada, nunca consegui senti-la, nem sua partida. De onde veio ele à minha alma? Para onde foi ele ao deixá-la?"

Ergui os olhos. Não perdi um único gesto do padre V. E, sem tentar escondê-las, deixei as lágrimas inundarem meus olhos e deslizarem pelo meu rosto.

Fui o primeiro a sair do batistério e fiquei na penumbra da nave.

O padre V. surgiu finalmente em companhia dos pais do recém-batizado. Eu me aproximei e ele caminhou para mim, dando a entender a Remi que o encontraria mais tarde.

Sentamo-nos lado a lado na nave deserta, nesse sábado, 20 de outubro de 2001.

Falamos até que a noite, vazada aqui e ali pela chama dos círios, invadisse a igreja.

De vez em quando, um ruído ecoava, talvez o arrastar de uma cadeira, amplificado pelo vazio.

Não foi uma confissão.

O padre V. repetiu que meu momento havia chegado, e convencera-se disso ao ler meus últimos livros, não só as frases, mas os espaços entre as palavras, ali onde ficava o essencial, o que eu queria dizer e o que eu queria esconder. Sim, era chegado o momento de reatar os fios dentro de mim mesmo, de cada um de nós, e também para os outros.

— Já lhe disse: é preciso expandir as bases destes pilares enterrados que sustentam o edifício: são Martinho, Clóvis, são Bernardo.

Depois ele se levantou e nos aproximamos do altar.

Algumas pessoas, menos de dez, rezavam na nave central.

O padre V. se ajoelhou e eu o imitei.

Talvez eu nunca mais tivesse rezado, rezado verdadeiramente, desde a morte de minha filha.

Em seguida, o dominicano tomou meu braço e murmurou enquanto me reconduzia:

— Foi são Bernardo que disse: "Zelemos para que o Senhor habite primeiro cada um de nós e depois todos nós juntos: Ele não se recusará às pessoas nem à universalidade delas. Que cada um se esforce, pois, para não estar em dissidência consigo mesmo." Esforce-se — acrescentou o padre.

E repetiu como para si mesmo:

— Os três pilares da cristandade, aqui, na França: são Martinho, Clóvis, são Bernardo. Não esqueça, não esqueça!

Paramos no alto da escada. A praça Saint-Sulpice estendia seu tapete claro diante de nós, mantendo a noite a distância.

— Não esqueça — insistiu o padre V. — É ainda são Bernardo quem diz: "Não é no conhecimento que está o fruto, é na arte de apreendê-lo."

"... É Corinto, é Atenas que ouvirão de ti esta verdade: Martinho possuía tanta sabedoria quanto Platão na Academia, tanta coragem quanto Sócrates na prisão. Feliz certamente é a Grécia, que mereceu ouvir as prédicas do Apóstolo; mas os gauleses não foram de modo algum abandonados por Cristo, que lhes deu Martinho."

SULPÍCIO SEVERO, *Vida de são Martinho* (397 d.C.)

PRIMEIRA PARTE

UM

Os dois homens esperavam o fim do dia sentados lado a lado. Estavam ambos envolvidos em uma ampla veste branca, uma espécie de manto ou túnica de fina lã. Já fazia frio nesse 20 de outubro do ano 410.

Permaneciam imóveis, os dois, as mãos pousadas nas coxas, as costas retas, apoiadas na fachada da vila.

O tom ocre, quase sangüíneo da parede, contrastava com a pedra num tom cinza-escuro do banco e com o branco das vestimentas.

O olhar dos dois homens estava voltado para o horizonte e para a extremidade do imenso jardim que circundava a vila, fechado por uma cerrada fileira de altos ciprestes como as hastes negras das lanças bárbaras ou as grades de uma prisão.

— Não parta — soltou bruscamente o homem sentado à esquerda do banco, virado para uma das quatro colunas de pórfiro que sustentavam a cobertura do terraço, tendo por limite uma balaustrada decorada de estátuas.

A imobilidade dos dois homens era tão absoluta que se poderia dizê-los talhados também em mármore, as pregas das túnicas petrificadas, os perfis cinzelados.

Eles se pareciam: o mesmo rosto ossudo, os pômulos salientes, cabeças raspadas, queixos pronunciados. Mas a pele do que falou era estriada de pequenas rugas, e dois sulcos circundavam-lhe a boca de lábios finos e descorados. A pele do outro, ao contrário, era firme entre as têmporas, lisa nos pômulos e maxilares.

Esse era jovem, o outro era idoso. Olhando um depois do outro, tinha-se a impressão de percorrer o tempo, vários decênios, a duração de uma vida, a que separava o reinado do imperador Constantino do reinado do imperador Honório, a fundação de Constantinopla do saque de Roma pelas hordas bárbaras do visigodo Alarico.

— Não parta amanhã — repetiu o ancião.

A voz era surda, ele pronunciava as palavras com dificuldade, como se cada uma lhe exigisse um esforço, como se essa simples frase tivesse sido proferida somente ao cabo de uma extenuante batalha contra seu amor-próprio.

Enquanto falava, ele virou a cabeça para o jovem, que não se mexeu, e ergueu o braço direito, estendeu-o tão cautelosamente como se esse movimento lhe fosse doloroso. De dentro da larga manga surgiram um antebraço descarnado, um pulso magro e a mão nodosa de grossas veias azuis. Pousou-a no ombro do jovem.

— Espere minha morte — continuou ele.

Ele entreabriu os lábios para o que parecia, primeiro, um sorriso e que se tornou uma careta e expressão de amargor, com as rugas se tornando mais profundas.

Cruzou o braços.

— Toda noite sinto que rondam em minha volta — continuou —, roçam em mim, querem me atirar nas profundezas, para fora da vida.

Agarro-me ao que posso, levanto-me, estou de pé em vigília desde o nascer do sol.

Sacudiu a cabeça, pôs novamente a mão no ombro do homem jovem.

— Não vai esperar muito. Pode partir depois de me enterrar.

Ficou um longo momento em silêncio, decerto aguardando uma resposta do outro.

— Você quer ir, não é? — continuou. — Dizem que, em outros tempos, Helena, a mãe do imperador Constantino, foi ao túmulo desse deus que agora é o do Império, o seu Cristo, e voltou de lá com pedaços da cruz em que ele morreu.

Alçou os ombros e riu sarcástico:

— O suplício que antigamente era reservado aos escravos!

Suspirou e soltou de novo:

— Espere, não vá! Sei que chegou a minha hora. A cada noite eles se aproximam mais, agarram-me, querem me arrastar...

De início, o rapaz pareceu transtornado com as palavras do ancião. Abaixou a cabeça, o olhar desnorteado como o de quem se sente ameaçado, prestes a soluçar, a pedir clemência. Aos poucos se foi refazendo, refutando com um movimento de cabeça o que acabava de ouvir.

— Só Deus escolhe o momento em que nossa alma escapa da prisão do corpo — disse ele enfim. — Deus decide por cada um de nós.

A voz era apaixonada, trêmula de emoção. Inclinou-se para o ancião como se fosse estreitá-lo contra si, murmurando que a morte era apenas uma passagem, uma libertação, que a ressurreição estava prometida a todos. Mas hesitou como se não ousasse abrir os braços e envolver os ombros do interlocutor.

Levantou-se e pôs-se a andar a passos largos pelo terraço, gesticulando e parando várias vezes para observar rapidamente o ancião.

— Tenho pressa de encontrar Deus — murmurou. — Sabe o que disse Martinho, o bispo de Tours, no momento da morte?

Parou diante do ancião e de repente, elevando o tom de voz, recitou:

— "É um duro combate que travamos, Senhor, servindo-Te neste corpo. Já bastam as batalhas que lutei até hoje..."

E acrescentou abaixando a voz:

— Eis o ensinamento de Martinho.

O ancião inclinou a cabeça como se um peso pressionasse sua nuca, obrigando-o a curvar-se.

Já o rapaz olhava ao longe, por cima dos picos dos ciprestes, o céu que a noite invadia.

Ele continuou com voz aguda, fremente:

— É preciso ouvir os mártires, aqueles que o Diabo, quando assumiu a figura de Nero ou a do imperador Diocleciano, entregou às feras, ao fogo, à cruz. Eles dizem: "Eu sou o frumento de Deus e sou moído pelos dentes das feras para tornar-me um puro pão do Cristo..."

Voltou a caminhar erguendo os braços acima da cabeça como um sacerdote num santuário. Citou de novo Martinho, depois Inácio, o bispo de Antioquia, martirizado em Roma sob o imperador Trajano:

— Inácio escreveu, e eu li suas palavras: "Para mim, é melhor morrer para encontrar Jesus Cristo do que reinar nos confins da Terra. É a Ele que eu busco, Ele que morreu por nós; é a Ele que eu quero, Ele que ressuscitou por nós! Meu alívio está próximo... Permiti-me ser um imitador da paixão do meu Deus... Meu desejo terrestre foi crucificado e para mim já não se trata de amar a matéria, mas uma água-viva que murmura em mim e diz dentro de mim: vem para o Pai..."

O ancião se ergueu com um movimento tão brusco, tão repentino que parecia juvenil. O rapaz recuou, abaixou os braços assustado com a cólera do pai que brandia os punhos, replicando de dentes cerrados:

— Seu pai sou eu. Seu único pai! Não parta, eu ordeno!

O jovem, o filho, abaixou a cabeça e repetiu:

— Eu sou o frumento de Deus.

Calaram-se os dois, o pai e o filho, Julius e Antonius Galvinius.

O filho apoiou-se na balaustrada, o pai voltou a se sentar.

Olhavam ambos a obscuridade que pouco a pouco encobria as aléias, dissolvia no negrume da noite a fileira de ciprestes e, mais além, as colinas e os vales, os bosques e as matas reservadas à caça, os campos de trigo e de cevada, os olivais e as vinhas, os santuários que, em toda a extensão do domínio, lembravam, aqui e ali, que os Galvinius viviam naquelas terras desde que César conquistara a Gália e eram os nobres mais poderosos da província Narbonense,* uma das mais ricas do Império.

Julius Galvinius, o homem magro e idoso, o pai, fechou os olhos.

Será que ainda existia um Império?

Por um dos refugiados que desde alguns dias chegavam à vila, estendiam a mão, suplicando, implorando uma esmola, ele soubera que, no fim de agosto desse mesmo ano, os bárbaros conquistaram, saquearam, ocuparam Roma durante três dias. Os palácios, bairros inteiros foram incendiados. Mas Alarico, o rei visigodo, proibira que destruíssem os grandes santuários. Proclamara-se cristão.

— Seu deus, Antonius — resumiu Julius Galvinius, reabrindo os olhos e olhando para o filho —, seu deus é o deus dos bárbaros, dos escravos!

Fez um esgar de desgosto, de desprezo e depois, balançando a cabeça, murmurou:

— Você os viu, você os ouviu?

Quatro anos antes, os bárbaros surgiram nas portas do domínio. Alguns se vestiam com pele de rato. Usavam colares e braceletes, e muitos deles ostentavam uma cruz pendurada no pescoço ou o signo que lembrava as duas primeiras letras de Cristo, o mesmo crisma que o imperador Constantino e o imperador Teodósio obrigaram suas legiões a usar, o primeiro, tão logo reconheceu a dos cristãos como religião do Império, e o segundo, quando proibiu os cultos em uso desde as origens de Roma, agora chamados de pagãos.

Os bárbaros entraram na vila. Quebraram as ânforas e os móveis, exigiram ouro, trigo, vinho, azeite e mulheres. Mataram todos — o intendente,

* Região da Gália romana que abrangia o sul da França. (N.T.)

os escravos — que demoraram a obedecer, mas pouparam Julius Galvinius, talvez porque ele os desafiou, dizendo que fora tribuno de Roma e invocaria o castigo de Júpiter, do imperador e das legiões que cairia sobre as cabeças bárbaras. Eles saíram da vila e do domínio levando reféns e as mulheres mais jovens.

Teria sido desde então que Julius Galvinius passou a ter certeza de que todas as noites os deuses da morte assombravam seu quarto e o convidavam a ir com eles?

Diziam-lhe que sua vida escoara completamente, como um tonel furado, que restavam apenas algumas gotas, um líquido espesso, áspero, que já não dava alegria. Não era melhor desistir de bebê-lo? Pedir a um escravo que empunhasse o gládio e o ferisse? Mas haveria algum homem no domínio capaz de matar seu senhor? Os escravos tornaram-se adeptos da seita de Cristo, rezavam, ouviam os bispos, esses homens que todos consideravam santos e pregavam a fraternidade, a renúncia à força, a escolha de uma vida de eremita nas grutas da montanha Negra ou no meio de uma comunidade chamada Marmoutier, no norte, perto de Tours, fundada por Martinho, o santo homem que Antonius Galvinius invocava a todo instante.

Quem convertera seu filho? Quem fizera dele um desses cristãos que queriam partir para o deserto, recolher pedaços do que chamavam a Verdadeira Cruz, a desse Cristo que, segundo eles, era Pai e Filho, espírito e palavra, morto e ressuscitado!

Julius Galvinius se levantou, foi para perto de Antonius que murmurava, provavelmente, uma dessas preces que ele mastigava sem cessar, melopéia triste, lamentação de mulher! O ancião teve de se controlar para não deixar a cólera explodir. Se estava cheio de rancor contra Antonius, ainda mais rancoroso estava contra os que desviaram seu filho dos deuses de Roma, os advogados, os nobres, os sacerdotes, os bispos que descobriam a religião cristã, depois que ela se tornou a religião do imperador, e a adotaram e difundiram por sua vez. Ensinavam a pobreza, a fé em Cristo, e eles, como viviam? Para um eremita que se alimentava de ervas, para um Paulino que vendera todos os seus bens, quantos mudaram apenas de palavras e de símbolos, substituíram a estátua de Júpiter e de Mercúrio por uma cruz? Essa nova religião oferecia-lhes os meios de conservar ou conquistar o poder. E até de sobreviver ao ataque dos bárbaros, visto que esses também a adotaram.

Pouco importava a esses homens a ruína do Império! Sobre os escombros dos santuários erigidos à glória dos deuses e dos augustos, eles construíam igrejas e se proclamavam os grandes sacerdotes.

Julius Galvinius fora várias vezes à vila de Sulpício Severo, um dos homens mais ricos da Gália Narbonense, um advogado que mostrava o mausoléu que mandara construir à glória de Martinho de Tours na única terra que conservara. Ele afirmava ter renunciado aos bens deste mundo, como seu amigo Paulino, e que a única finalidade desse último domínio de Primuliacum era fornecer o alimento necessário aos cristãos reunidos em torno dele. E ele jurava que todos, a começar por ele mesmo, haviam escolhido a pobreza e a humildade.

Julius Galvinius ouvia Sulpício como se ouvisse um farsante astucioso. Os homens que o advogado reunia em sua volta — Gallus, Postumianus, Refrigerus, Agricola... — pareceram-lhe membros de uma trupe de teatro que diziam levar uma vida ascética, enquanto dezenas de escravos continuavam a servi-los e a trabalhar para eles o solo do famoso último domínio. Dedicavam-se à prece, à leitura, à conversação, celebravam a glória de Cristo e dos santos, como teriam feito antes em relação ao imperador e aos deuses de Roma.

Julius interrogara Sabatius, um desses cristãos ricos, que lhe havia descrito com deleite, com ar voraz, a vida que amava, e não parecia sequer imaginar que assim revelava sua duplicidade:

— Quero uma casa confortável, com amplos aposentos dispostos sucessivamente segundo as estações do ano. Quero uma mesa suntuosa e bem provida, criadagem jovem e numerosa, artistas de diferentes gêneros, capazes de executar prontamente os pedidos, estrebarias cheias de cavalos bem nutridos e carros resistentes e elegantes para passeio...

De fato, era esse o modo de vida dos cristãos ricos.

Quem se deixaria enganar por tamanha farsa? Como Antonius, seu próprio filho, pôde sucumbir a tais mentiras?

Julius Galvinius olhou para Antonius sentindo um misto de comiseração e culpa. Talvez não lhe tivesse incutido a força para resistir aos embustes dessa seita. Talvez não lhe tivesse transmitido o conhecimento dos antigos que ele próprio recebera do pai, Marius Galvinius, que lhe lia Tácito e Celso neste mesmo terraço.

Recordou-se da voz paterna escandindo um texto em que Celso atacava os cristãos:

— Desconfia deles — declarava-lhe o pai —, com palavras suaves, eles te arrancarão o gládio das mãos, tomarão posse de tua força perdida e irão usá-la em proveito próprio. Eles só querem gente submissa em torno deles. Ouve Celso, ele escrevia no tempo em que um filósofo, no círculo do imperador, ainda podia erguer a voz contra essa seita...

Celso afirmava que os cristãos só tencionavam convencer gente tola, gente comum, os escravos estúpidos, as mulheres ingênuas, as crianças, a fim de mantê-los sob seu jugo, mas desconfiavam dos homens cultos, de todos os que podiam contrapor a força da vida, tal como ela era, às fábulas que contavam.

E Julius lembrou que, pouco depois, o pai o obrigara a descer a um fosso cuja cobertura era uma prancha cheia de frestas. Julius ouvira os mugidos do touro sendo arrastado em cima do fosso. Depois, o berro rouco, quase humano, e o sangue espirrara da garganta cortada do animal. O sangue se alastrara, escorrera pelas frestas, quente, espesso, vermelho-escuro, adocicado, gotejando sobre o rosto e os ombros de Julius.

— Eis aí uma verdadeira comunhão com um verdadeiro deus! — exclamava Marius Galvinius, ajudando seu filho, pegajoso de sangue, a sair do fosso.

Julius vira os escravos deceparem o touro cujas entranhas eram defumadas ao sol.

* * *

— Você conhece Celso? — perguntou Julius Galvinius segurando o pulso do filho.

Espantado, Antonius examinou o pai. O ancião estava exaltado, repetindo os argumentos de Celso que seu próprio pai lhe inculcara outrora. Que deus era esse que ignorava os homens que criara e desceu à Terra para inocentar suas próprias criaturas? Seu poder divino era assim tão limitado que não podia corrigir nada sem enviar propositadamente um mandatário ao mundo aqui debaixo, esse Cristo, que é ele próprio e outro ao mesmo tempo?

— Celso diz a palavra da verdade — concluiu Julius. — Entretanto, desde o imperador Marco Aurélio, a covardia de uns, a ingenuidade de outros, a ignorância da maioria e a reconhecida fraqueza dos césares favoreceram o trabalho dos roedores, esses cristãos que pouco a pouco corroeram como ratos todas as fundações do Império. E Roma cai, Roma é saqueada por Alarico, um bárbaro que se proclama cristão!

Nesse momento, apesar da penumbra, Julius Galvinius vislumbrou o sorriso de Antonius. Seu filho o olhava com uma condescendência eivada de uma certa indulgência. Julius chegou até a sentir que havia piedade nos olhos do filho.

Soltou o pulso de Antonius.

— Sabe que dezenas de anos antes disso, Tácito já falava da detestável superstição dos cristãos?

Alteou a voz:

— Quem fez você esquecer Tácito e Celso que eu lhe ensinei assim como meu pai me ensinara?

Antonius não parava de sorrir.

— Eu partilhei do sofrimento de Cristo — murmurou. — Ele o escolheu para salvar cada um de nós. A você também, pai.

Julius Galvinius apertou novamente o pulso de Antonius.

— Crê que Ele vai impedir que os deuses da Morte me levem pela mão?

Inclinou-se para Antonius.

— Sabe o que faço todas as noites? Eu me deito entre duas escravas. Exijo que elas encostem seus corpos no meu. Só o contato de suas peles, suas carícias, seus seios me tranqüilizam. Agarro-me ao prazer que elas me dão. A vida é isto! O sangue do touro, a boca de uma mulher: é isso que dá a força!

Antonius soltou-se rapidamente e Julius Galvinius não tentou retê-lo, até se afastou.

Desafiando o filho com o olhar, ele estendeu o braço na direção do leste, onde o sol invencível renasceria na aurora da manhã seguinte.

— *Sol invictus* — diz ele.

Antonius Galvinius sacudiu a cabeça, repetindo várias vezes *Crux, Crux* como se quisesse opor essa única palavra às palavras do pai. E, de vagar, fez o sinal-da-cruz.

— Pai — disse, aproximando-se de Julius —, esta noite, deixe-me contar a vida de um homem de Deus.

Persignou-se de novo.

— Amanhã, quando o sol se levantar — continuou ele —, depois que me tiver ouvido, decida por você mesmo se devo partir para rezar no túmulo de Cristo.

Julius Galvinius avaliou demoradamente o filho, depois voltou a se sentar, e com um largo gesto envolveu os ombros no amplo manto branco.

— Fale — disse ele.

DOIS

Naquela noite, assim que o vento amainou e, por alguns instantes, não se ouvia mais que um farfalhar de folhas, Antonius Galvinius começou a falar.

Mas o pai, de início, não o escutou.

De olhos fechados, braços cruzados, o queixo ligeiramente erguido, a nuca apoiada na parede da vila, Julius Galvinius parecia dormitar, indiferente à voz fervorosa do filho.

— Foi na beira do grande rio Danúbio — começou Antonius — que o homem de Deus nasceu, na província que Augusto denominara Ilíria e hoje se chama Panônia.*

---

* Província do Império Romano, limitada ao norte e ao leste pelo rio Danúbio, e ao sul pelo rio Sava, que abrangia parte da Áustria, da Hungria e da antiga Iugoslávia, cuja principal cidade era Vindóbona, atual Viena. (N.T.)

Naquele tempo, os homens já pululavam na imensa planície do leste, que se estende do horizonte até o grande rio, em cuja extensão os imperadores mandaram erguer um *limes*. O *limes* era constituído de torres e de uma muralha ladeada por um caminho. Era ali que as legiões patrulhavam. O pai do homem de Deus, um tribuno militar, dera ao filho o nome de Martinho, porque Marte é o deus pagão da guerra, aquele que os soldados veneram, ao qual rezam e fazem sacrifícios. Mas que pai pode encerrar um filho na prisão de um nome, de uma crença, se o Deus justo, o Deus verdadeiro decidiu o contrário?

Julius Galvinius deixou a cabeça pender sobre o peito como para mostrar que dormia, que se recusava a ouvir.

Antonius hesitou, mas continuou:

— Os povos da planície pareciam grandes ondas que rebentavam contra o *limes*. Uma onda empurrava a outra. No horizonte, amontoavam-se homenzinhos imberbes, o corpo reluzente geralmente coberto de pele de rato. Giravam o gládio acima da cabeça. Atiravam longas cordas com nós corredios com que enlaçavam o pescoço dos homens e dos cavalos. À noite eles ficavam com suas mulheres e filhos nas carroças em que elas acompanhavam os guerreiros. Esse povo dos hunos, sempre em movimento, só conhecia como império o vento e a poeira. Desconheciam as cidades e as paragens. As crianças eram concebidas num lugar, nasciam noutro, cresciam em qualquer parte e só tinham na memória a linha do horizonte e as carroças dos outros povos que fugiam deles.

"Esses, os godos e os visigodos, vinham se arrebentar no *limes*. E eram rechaçados pelas legiões de Diocleciano, de Constantino, de Valentiniano, de Valente que os matavam como se ceifassem trigo.

"Mas não se pára o vento, não se represa o oceano por muito tempo.

"Os godos, os visigodos atiravam-se nas águas do rio e a maioria morria afogada, alguns, porém, conseguiam atravessá-lo e, na outra margem, o êxito incitava à audácia. Construíam barcos e balsas. Escavavam troncos de árvores. Inflavam odres feitos com as tripas de cavalos ou de bois. Lançavam-se nas correntezas. Alcançavam a margem do império com que sonhavam. Lá, atrás da muralha do *limes*, nas ruas da cidade fortificada, em

Sabaria* ou em Sirmium** talvez, crescia Martinho, filho de soldado, carregando o nome de Marte, deus da guerra.

"Ele viu os capacetes e as espadas, as águias romanas e as couraças serem forjadas, antes mesmo de saber o que era um livro santo. Ouviu as vozes guturais dos comandantes das tropas antes de ouvir o murmúrio da prece dos fiéis. Martinho assistiu aos sacrifícios pagãos. Viu o pai mergulhar as mãos no sangue do touro degolado ou extrair o coração das entranhas de um cordeiro e o fígado de um frango. Talvez Martinho também tenha visto decepar a mão de um prisioneiro, furar os olhos de outro, godo, visigodo, ou até de um guerreiro huno que tivesse se aventurado a ir longe demais de sua gente, entregue ao tribuno pelos godos para ser interrogado. Quem sabe afinal qual era a situação desse povo de cavaleiros que parecia surgir do horizonte, brotar do ventre da terra..."

Julius Galvinius descruzou os braços, espalmou as mãos na beirada do banco, parecendo pronto a se apoiar ali para saltar.

Antonius calou-se, o rosto suado, como se acabasse de chegar dessas terras infestadas por onde os bárbaros penetravam no Império, derrubando os muros, e se alastravam até ali, pela Narbonense e, pelo outro lado, até Roma... E que mais se podia fazer senão rezar e tentar convencê-los a crer no verdadeiro Deus? Alguns, como os visigodos, já usavam a cruz.

A princípio, Julius não demonstrou perceber que o filho se calara. Manteve os olhos fechados, mas, de repente, se empertigou encarando o filho, um riso de sarcasmo, de desprezo vincava em torno da boca.

— Você fala do ventre da terra... O que sabe do ventre de uma mulher, você que quer me contar a vida de um homem? Esquece que todo homem, seja huno, visigodo ou gaulês, imperador ou escravo, e até esse Cristo, nasceu do ventre de uma mulher, escorregou visguento por entre as coxas dela? Você abaixa a cabeça...

* Antigo nome de Szombathely, atual cidade da Hungria. (N.T.)
** Atual Mitrovica, em Kosovo. (N.T.).

Julius Galvinius se levantou.

— Estaria com vergonha de ter nascido de sua mãe?

De punho cerrado, ele ameaçou Antonius:

— Você, que reza pelos homens, ignora que eles sonham a vida toda em meter o nariz, a boca, a cara ali de onde vieram à luz e farejam as mulheres como fazem os cães com as cadelas? Você vai falar disso?

Julius gritou as últimas palavras e começou a andar pelo terraço, de um lado para o outro.

— Ou será que vai fazer como Sulpício Severo...?

Riu em silêncio, todo o rosto expressando desdém.

Disse que fora convidado diversas vezes à casa de Sulpício Severo, no domínio de Primuliacum. Ali se juntavam eremitas ou padres vindos do Oriente.

— De lá, aonde você faz tanta questão de ir — resmungou balançando a cabeça.

Na casa de Sulpício, ele também encontrava bispos, diáconos e Paulino, o ricaço que vendera todos os seus bens, e Gallus, o gaulês. Sulpício lia o livro que escreveu para contar, também ele, a vida de Martinho, os milagres realizados. Martinho, para quem o ouvisse, era o melhor discípulo de Cristo.

— Se você conhecesse a vida dele... — interrompeu Antonius com voz cansada, erguendo as mãos num gesto de resignação.

Julius Galvinius chegou bem perto do filho, seus rostos ficaram tão próximos que os queixos chegaram a se roçar.

— Você acha que dei ouvidos a esses pregadores de uma crença de escravos? — exclamou ele. — Eu amo as escravas: eu as levo para a minha cama, penetro seus ventres! Sabe o que eu fazia enquanto Sulpício Severo falava? Olhava as moças de pés descalços, os corpos esguios apenas aflorados pelos véus das túnicas, que nos serviam bebidas e colocavam taças cheias de frutas ao nosso lado. Quando elas se abaixavam, eu via suas coxas, suas nádegas, a gruta de onde viemos.

Puxou um pigarro enquanto observava Antonius e compreendeu que o movimento dos seus lábios era o da prece.

— Você quer que eu o escute? — continuou. — Então fale do desejo que sente um homem de Deus, de como ele o sacia e por quê. Talvez assim me fale de você, Antonius!

Julius afastou-se até a entrada da vila e de repente se virou dizendo:

— Sua seita é a dos eunucos, dos castrados! É isso que você vai me dizer. E essas mulheres que rezam a Cristo, que se fecham em celas ou grutas, será que ainda terão sangue a lhes correr entre as coxas?

Julius riu às gargalhadas envolvendo o tórax com os braços para conter o violento acesso de hilaridade.

Depois, de mão erguida e olhar desafiante, voltou-se para o filho.

— Eu lhe dou sete dias. Você vai me contar a vida do seu santo homem, desse homem de Deus, desse Martinho de quem tanto elogiam os feitos: curas, ressurreições, a acreditar em Sulpício Severo... mas este é um falastrão, um malabarista de palavras!

Encostou o indicador em riste no peito de Antonius.

— Assim que o sol desaparecer por trás dos ciprestes, eu é que vou falar. Você, durante sete dias, eu durante seis noites. Depois decidiremos, e eu me submeterei a seu julgamento.

Dirigiu-se novamente para a porta da vila.

— Começamos a partir de amanhã — determinou.

Parou na soleira, virou a cabeça para Antonius.

— Quer que lhe mande minhas duas jovens escravas para ajudá-lo a terminar a noite?

Antonius se ajoelhou, continuando a rezar.

TRÊS

Antonius está deitado nas pedras de mármore do terraço. Sente nos ombros as rajadas de chuva. Ela cai obliquamente, empurrada pelo vento que recrudesceu com a chegada do temporal. E os raios riscam o horizonte, iluminam os ciprestes com pálidas cintilações, os estrondos do trovão encobrem as pancadas do aguaceiro. Então a chuva aumenta e fustiga Antonius.

Ele abre os braços. Que o céu o crucifique! Que o sofrimento, o frio, o granizo dilacerem seu corpo! Que assim ele partilhe um pouco da dor de Cristo e dos mártires, aqueles que foram pregados na cruz, aqueles que os dentes das feras dilaceraram, os que foram queimados sobre chapas de ferro em brasa, os que tiveram os olhos, as orelhas, a pele arrancados com pinças e tenazes. Os que continuavam a rezar, contra paus e pedras, e se recusavam a renunciar a sua fé!

E o pai imagina que ele cederá? Sua crença em Cristo só se reforçará a cada tentação, cada blasfêmia, cada insulto, a todo o desprezo e toda cólera de que Julius Galvinius é capaz. Ele, Antonius, será como Martinho, como os eremitas do Egito, Antão, Pacômio, Jerônimo que oravam reclusos nas grutas abertas nas falésias do deserto, nutrindo-se de talos de erva e às vezes, nos dias fartos, de um ou dois gafanhotos. Que meu corpo se torne tão leve quanto uma pluma e que Deus a faça voar até Ele! O que terá de enfrentar não é nada comparado ao que os eremitas suportam pela fé, ao que os mártires sofreram!

Desde 313, quando o imperador Constantino reconheceu os cristãos, em Milão, o perigo é a tentação do mal, a renúncia ao sofrimento, a escolha de uma vida de prazeres. Quando as pessoas chafurdam no auge do gozo, quando mordem frutos suculentos ou os lábios de uma mulher. Ou quando sucumbem ao desejo de poder, a exemplo desses bispos de vestimentas bordadas a ouro que se apóiam num báculo cravado de pedras preciosas e se comportam como cônsules, como chefes de uma igreja que se tornou irmanada à administração imperial.

Antonius soergue-se. Vai de joelhos até a balaustrada. A chuva e o granizo batem em seu rosto, escorrem-lhe pela túnica. Ele comprime a testa contra a quina viva do mármore. Pressiona a testa com toda a força, esfrega-a até sentir o sangue correr da pele ferida. Reza a meia voz. Oferece a Deus essa dor, esse sangue. Não irá sucumbir às manobras dos demônios. Invocará Martinho. Esse é que soube desmontar as armadilhas do Diabo que tantas vezes tentou enganá-lo a ponto de assumir a aparência de Deus.

Antonius começa a tremer, a bater os dentes.

Será o frio que lhe gruda na pele como essa túnica encharcada? Será o medo de não ser bastante perspicaz para reconhecer o Diabo sob a aparência, sob os ouropéis com que se travestirá? Ele assumiu a máscara dos imperadores Nero e Diocleciano. Perseguiu sob os nomes deles. Foi o inspirador de Juliano, o Apóstata, que quis anular a obra de Constantino e proclamar que as crenças pagãs eram novamente as do Império.

Antonius volta a pressionar a fronte contra a quina de pedra.

Ele treme cada vez mais.

E se o Diabo já tiver entrado nesta casa? Se ele assumiu o rosto e a voz de seu pai?

Antonius revê o esgar de Julius Galvinius quando falava, os sarcasmos, os ares de desprezo. Parece-lhe que o pai nunca se comportara assim antes. Por que essa violência? E se os demônios o inspiraram? E se o Diabo estava nele? E se era um combate deflagrado não entre pai e filho, mas entre Deus e Diabo, um combate cujo prêmio seria justamente suas duas almas, a do filho e a do pai!

Antonius reza para afastar os demônios.

É preciso que a vida do homem de Deus, a vida de Martinho, o santo homem, seja como uma cruz brandida diante do demônio, diante do pai possuído pelo Diabo.

Terei força? Minha fé será bastante forte? Que Deus e Martinho me habitem! Que o exemplo de Cristo e os atos de Martinho me inspirem!

É preciso orar.

Braços em cruz, mãos agarradas à balaustrada, a testa apoiada no gume da pedra, Antonius Galvinius reza, enquanto a chuva pára e a tempestade se afasta na noite serenada.

QUATRO

Antonius Galvinius levanta-se sobressaltado ao sentir na nuca o calor de uma mão que o afaga. A mão se retira, ele sente frio. Ela volta, mais insistente, e ele inclina a cabeça para a frente como para se oferecer a ela. Com esse gesto, ele empurra novamente a testa contra a quina da pedra e já nem sente dor, tanto se deleita com a suavidade da mão.

De repente, ele estremece, endireita-se. Vira-se com vivacidade.

Na luz da manhã que invadiu o terraço, ele vê uma das jovens escravas de seu pai.

Devia abaixar os olhos, não olhar para essa mulher com os cabelos soltos caindo em duas longas mechas negras sobre os seios que ele adivinha arredondados sob o pano branco, finíssimo, preso na cintura por um cordão de fios dourados.

Antonius se persigna. Continua de joelhos; a escrava se afasta, a mão escondendo a boca como para se impedir de gritar. Ela pára na soleira, murmura algumas palavras abafadas pelos dedos que ainda encobrem os lábios.

Ela pronuncia a palavra "sangue". Acrescenta que o patrão, Julius Galvinius, está aguardando o filho dentro de casa. Passa os dedos pelo rosto e murmura de novo "sangue".

Antonius adivinha. O sangue escorreu de sua testa, secou em suas faces, ao longo do pescoço; recobre e corta sua pele como cicatrizes. Foi esse sangue que fez recuar a jovem escrava, sangue nascido do sofrimento desejado para partilhar a sorte de Cristo, sangue que acaba de salvá-lo da concupiscência.

Antonius se persigna.

Como ele é pouco resoluto! Como pode ser convencido facilmente! Como pode ser surpreendido pelo demônio, comovido e corrompido pela maciez da pele de uma mulher!

É por isso que deve partir para o Oriente, ir ao túmulo de Cristo. Escolher inebriar-se de Deus numa gruta do deserto ou na cela de uma dessas casas retiradas no meio da floresta ou nas ilhas, nos lugares de prece e de isolamento que chamam de monastérios. Os primeiros foram criados por Martinho.

Esse soube fugir das tentações.

Ele disse:

"Uma parte de um prado havia sido pastada pelos bois, outra parte fora fuçada pelos porcos; o restante estava coberto de um verdor primaveril salpicado de flores de todas as cores. Eis as opções de vida. Os animais pesados, os bois de olhos ternos que fizeram desaparecer todas as flores do prado, mas deixaram uma leve cobertura de ervas, simbolizam os casados. A outra parte do campo, fuçada pelos porcos, animais imundos, expressa a imagem da fornicação. Mas a terceira parte, que não sofreu nenhum dano, mostra a glória da virgindade. Está prenhe de ervas luxuriantes. Promete uma exuberante colheita de feno. Ela veste uma roupagem de beleza extraordinária. Adorna-se de flores resplandecentes, com cintilações de pedras preciosas. Bem-aventurado espetáculo, digno de Deus, pois nada se compara à virgindade!"

Antonius levanta-se, entra em casa atrás da escrava de cabelos negros. Ele cambaleia. Será de esgotamento após a noite que passou na tempestade e no vento glacial, perdendo sangue, sem se alimentar desde a vigília da madrugada? Ou será por aspirar esses perfumes, por ver na êxedra, esse salão onde acaba de entrar, as taças de frutas, algumas já mordidas, as ânforas em cujo gargalo o vinho, como sangue, secou, e ainda ver o pai com a túnica aberta no peito ossudo, as pernas estiradas, uma escrava sentada junto dele?

Odor e espetáculo de fornicação!

O Diabo está neles, mas também se esgueira por entre os que se proclamam cristãos; talvez na casa de Sulpício Severo que, em seu domínio de Primuliacum desde a morte da mulher, conta a vida de são Martinho em companhia de uma tal Bassula, sua jovem madrasta, com quem troca olhares de aquiescência: olhares entre dois crentes que partilham a mesma fé ou entre dois cúmplices que escolheram viver como porcos?

Julius Galvinius avistou o filho. Soergueu-se apoiado no cotovelo direito, enquanto se agarrava, com a mão esquerda, ao ombro da jovem escrava.

— Seu rosto ensangüentado me lembra o dos gladiadores. Eu pensava que os cristãos condenavam a crueldade. Que denunciavam os castigos ou os jogos mortais que os imperadores infligiam às pessoas da seita cristã. Mas, naquele tempo, o Império era grande, temido do Jordão ao Reno, do Danúbio ao oceano, do *limes* da Bretanha ao de Panônia e de Trier a Jerusalém, ninguém ousava desafiá-lo. Os que se arriscavam tinham os pulsos decepados. César fez isso em Uxellodunum, há alguns dias de caminhada daqui, e os gauleses, dos quais descendemos, tornaram-se cidadãos de Roma. Naquele tempo, os povos temiam o castigo das legiões; elas ainda eram romanas, não povoadas de bárbaros.

Julius bebe de um só gole uma taça cheia até a borda, e a escrava se debruça sobre ele, encosta os seios em seu peito e enxuga-lhe os lábios.

— Quer que ela o enxugue também? — dispara Julius Galvinius. — As mãos e a pele dela são tão agradáveis quanto a água mais pura.

Ele agarra brutalmente o pulso da escrava e enfia a mão dela por dentro da túnica dele.

— Então, Antonius, mártir dos tempos clementes, cristão que está reduzido a perseguir a si mesmo, pois os próprios imperadores tornaram-se adeptos de Cristo, quando vai me contar a vida do tal Martinho? Já estamos no primeiro dia e não será tão facilmente que você me tornará crente desse deus!

— Ouça-me — diz Antonius.

CINCO

Antonius encaminha-se devagar para a porta da êxedra, do lado oposto à porta por onde entrou. Ela dá para o peristilo. Ele pára na soleira. Avista as silhuetas das escravas que vão e vêm sob as colunas, enchem as ânforas na fonte que fica no centro do pátio interno. O ruído da água mistura-se ao espocar dos risos que vêm dos quartos à esquerda do peristilo. Seu pai recebe sempre muitos convidados, mulheres, viajantes que vêm de Burdigala em direção a Tolosa*. Ele oferece companheiras e companheiros para uma noite aos convidados.

Como não há de querer deixar esta casa onde as pessoas se comprazem na ignomínia e na orgia? Onde ainda se pratica um culto aos deuses pagãos que estão ali, no nicho escavado no meio de uma parede do peristilo?

* Burdigala e Tolosa, nomes romanos das cidades de Bordeaux e Toulouse, da França atual. (N.T.)

Era preciso coragem para quebrar as estátuas, as de Apolo e de Marte, as de Júpiter e de Vênus. Era preciso coragem para derrubar as lamparinas a óleo acesas nos pés delas.

Martinho, esse sim, destruía os santuários dos falsos deuses. Enfrentava os pagãos que o ameaçavam com facas e machados, atiravam-lhe pedras, davam-lhe bastonadas. Ele os enfrentava invocando a palavra de Deus, realizando milagres, ajudado pelos anjos. Os pagãos se convertiam. E, sobre as ruínas desses santuários, Martinho erguia igrejas.

Eis a estrada que devo seguir.

Antonius vai até o pátio. Na bacia da fonte, ele vê seu rosto sujo de sangue refletido na água.

— Se quiser desistir de nossa disputa... — lança-lhe Julius Galvinius, cuja voz ressoa por entre as colunas.

Antonius mergulha o rosto na água, desgruda as crostas de sangue.

Ouve a risada do pai e a da jovem escrava de cabelos negros.

Partir já, refugiar-se numa gruta da montanha Negra onde rezam, solitários, os cristãos que escolheram a vida de eremitas.

Recorda-se do Evangelho, que diz: "Quando fores perseguido em uma cidade, foge para outra."

Entretanto, aqui ninguém o persegue. Deus limita-se a submetê-lo a uma prova. Deus quer saber se a fé de quem crê Nele é firme e resoluta. Deus quer que ele, Antonius, dispute almas ao Diabo.

Antonius se volta. Gotas d'água escorrem-lhe pela túnica e o fazem estremecer.

É seu pai que está deitado lá dentro, na êxedra, com a jovem escrava espichada ao lado, ou é o Diabo?

Ele faz o sinal-da-cruz.

Para Martinho, bastava esse sinal para exorcizar os possuídos pelos demônios.

Mas Julius Galvinius acaricia os seios da escrava e ri de novo.

— Você não quer se deixar tentar, Antonius?

— Na cidade de Sabaria, aqui, na província de Panônia onde nasceu — começa Antonius, sentando-se diante do ancião — Martinho, filho de

Deus, e viveu entre homens armados entre os quais o próprio pai. Esses soldados subiam uma colina que dominava a cidadela de Sabaria. Reuniam-se no centro de bosquetes para venerar o deus Baal, a divindade bárbara. Eles degolavam crianças para angariar a proteção desse deus. Como porcos, eles misturavam seus corpos aos das mulheres raptadas aos godos e aos visigodos que estavam na outra margem do Danúbio ou diante do muro do *limes*, aguardando que os recebessem no Império. Martinho conheceu a coragem com que o pai enfrentava esses cavaleiros bárbaros e viu o que era a orgia.

Antonius vira-se, estende o braço para o peristilo indicando os quartos.

— A orgia está aqui!

Julius Galvinius penteia com seus cinco dedos o cabelo da escrava.

— Que sabe você desses prazeres? — provoca. — Venha nos encontrar esta noite. Vai participar de nossas brincadeiras, vai contribuir com a sua juventude. Sei que minhas escravas lamentam meu cansaço, pois o sono, veja só, freqüentemente me vence, Morfeu me embala e chego a preferi-lo a Vênus. Venha, elas vão gostar de você.

Ele segura a escrava pela cintura, ergue-a um pouco.

— Olhe este fruto ainda verde, ácido. Se você o provar, não esquecerá jamais o seu sabor, e seu deus será reduzido a cinzas. Ele não o atormentará mais.

Antonius fecha os olhos. Sim, é o Diabo que fala.

— Você não vem ajudar seu velho pai? — insiste Julius Galvinius sempre às gargalhadas.

— Eu sou cristão — murmura Antonius.

O ancião sacode a cabeça.

— Então me fale do que você conhece e não do que recusa e ignora.

Antonius abaixa a cabeça.

— O pai de Martinho ensinou-lhe a coragem... — retoma.

Ele não tem vontade de olhar para Julius Galvinius de quem imagina o ar furioso, os olhos inflamados de cólera.

— ... ele era um simples soldado, desses em que nada parece destinar ao comando. Mas audacioso, temerário até, lançava-se várias vezes por entre a turba de bárbaros, metendo-se na multidão como a proa de um navio na vaga oceânica. Ele venceu, e Deus certamente o quis preservar para que tivesse um filho que um dia seria um grande homem. Pouco a pouco, esse pai, um pagão, galgou os primeiros postos do exército, os que usam as insígnias da legião. Combateu sob as ordens dos imperadores Valentiniano e Valente, que, como ele, a princípio não passavam de soldados e chegaram à dignidade imperial pela coragem pessoal e por escolha de seus companheiros de armas. Foram esses imperadores que fizeram do pai de Martinho um centurião, depois um tribuno militar.

"À frente de sua legião, ele assumiu a guarnição de Sabaria. Essa cidade, como todo o Império, ainda estava na época dos mártires, aqueles que hoje inspiram todo cristão, e eu sou um deles. Sofro pelo bispo Quirino, que foi arrastado pelas ruas de Sabaria como um animal capturado, ele, o homem de fé, o homem de Deus, ele que foi espancado e depois teve o tórax esmagado quando lhe penduraram um bloco de granito no pescoço. Eles o empurraram para dentro rio, para dentro das águas escuras do Sibaris que banha o muro da cidadela em Sabaria. Os cristãos, seus irmãos, aproximaram-se. Oraram como eu oro à lembrança desse mártir. Mas Quirino não desaparece nas ondas. Ele sobrenada, exorta os cristãos a se mostrarem fiéis ao seu deus. Os cristãos se ajoelham apesar dos golpes que lhes são desfechados. Assiste talvez a essas cenas o pai de Martinho? Ordena talvez que seus legionários batam nos cristãos com mais força, que dispersem os crentes, que os massacrem? Mas, quando Quirino finalmente afundou no redemoinho do rio, os cristãos ainda estavam lá, em oração, corajosos e obstinados.

"Eis o que são os cristãos, eis o que sofreram antes de Constantino, o Grande recebê-los em Milão como cidadãos valorosos, citá-los como exemplo e reconhecer o deus deles como o Deus do Império. E como você sabe, ao morrer no dia de Pentecostes do ano 337, ao meio-dia, Constantino recebeu o batismo. E seu corpo foi transportado para a igreja dos Santos Apóstolos, em Constantinopla, a cidade que ele fundara.

"Martinho soube disso porque os cristãos de Sabaria ergueram uma basílica à glória de Quirino, e a memória desse mártir difundiu-se tanto que seu culto é celebrado em Roma e até aqui, em nossa província Narbonense."

Antonius levanta-se, junta as mãos e diz:

— Estou pronto a sofrer a sorte de Quirino. Como Martinho estava.

Julius Galvinius boceja, depois ironiza:

— Agora os pagãos é que são mortos! Eu achava que, para os cristãos, todo homem, qualquer que fosse, era uma criatura de Deus!

Ele se vira, puxa a jovem escrava para junto de si.

— Deixe-me — ordena a Antonius. — Você já falou bastante. Vou dormir até a noite. Prepare-se para me ouvir. Reúna forças! Eu me sinto tão furioso quanto o vento dos temporais...

SEIS

— Você resmunga feito uma velha desdentada — zomba Julius Galvinius, aproximando-se do filho, que reza ajoelhado diante de uma janela da êxedra.

Dessa maneira, ele dá as costas para o salão, a fim de não ver as duas jovens escravas que, agachadas junto da lareira, atiram feixes de gravetos no fogo. Eles se incendeiam logo e as chamas desenham serpentes ondulantes na parede.

— Você junta as mãos feito um mendigo que implora! — insiste Julius.

Ele tem a boca manchada do sumo das uvas pretas cujas sementes ele quebra entre os dentes para depois cuspi-las no átrio.

De repente, ele segura Antonius pelos ombros e força-o a se levantar.

É grande o contraste entre o ancião descarnado, mas de gestos rápidos e voz forte, e o jovem que se deixa sacudir, ser arrastado para o meio do aposento, empurrado sobre um tamborete colocado diante da lareira, entre as duas escravas.

Antonius não opõe qualquer resistência, não pára de sorrir, como se o alegrassem os sarcasmos com que o pai não pára de cumulá-lo.

— Dizer que eu queria fazer de você um soldado! — exclama Julius, atirando violentamente nas chamas o cacho de uvas que ainda tinha na mão.

O cacho se desfaz na frente da lareira; algumas uvas se soltam, rolam pelos ladrilhos brancos, outras espocam, formando manchas escuras de um vermelho-sangue.

— Hoje em dia — explica Julius — um soldado valoroso pode se tornar imperador. Diocleciano, Valentiniano, Valente, Constantino, Galério, Teodósio e até Juliano foram todos combatentes. E o que seria César sem suas guerras? Mas você — ele cospe na direção de Antonius —, você preferiu renunciar ao gládio. Então você não é nada.

Antonius levanta a cabeça.

— Eu sou cristão — murmura.

Julius Galvinius dá de ombros, deita-se num dos leitos que ocupam o fundo da êxedra, no lado oposto à chaminé, e lança para o filho:

— Odeio esse deus que fez de você um choramingas, enquanto eu o imaginava cavalgando a galope, nuca ereta, mão atrás das costas, como César gostava de fazer quando desfilava à frente das legiões. Você ainda não tinha dez anos. Depois, tive de deixar o domínio para lutar contra os alamanos, rechaçá-los para as florestas e, quando voltei, as mulheres haviam transformado você nesse castrado!

Um ricto de desgosto circunda-lhe a boca.

— Os verdadeiros deuses as condenaram. Elas tiveram o castigo que sua miserável obra merecia. Estão mortas, mas envenenaram você.

Todo seu rosto está crispado.

Ele diz que não gosta de mentira, que Antonius e os cristãos não param de invocar a lembrança dos mártires e, no entanto, agora eles é que são os cortesãos, os favoritos dos imperadores.

— Ninguém mais quer ser tribuno militar, governador ou cônsul. Hoje todos preferem ser diácono, bispo, eremita.

Ele balança a cabeça.

— Mas o que a mão do cristão faz, a boca desmente! Eis a sua religião, Antonius, e assim são os seus irmãos!

Ele se levanta. As chamas que iluminam seu rosto parecem sair de seus olhos.

— Constantino, o Grande, aquele que você glorifica, era um homem de traços e aparência tão grosseiros, de tez avermelhada, poucos cabelos, barba rala, nariz recurvado que o chamavam de Pescoçudo.

Julius Galvinius acentua cada argumento movimentando a mão para cima e para baixo.

— Ele usou os cristãos para reforçar seu poder, pois era obstinado, esperto. Não foi a fé em Cristo que o levou a reconhecer a seita cristã e, sim, a necessidade de dispor de homens fiéis em todo o Império. Os cristãos e ele agiram apenas como mercadores, trocaram vantagens. Mas, a princípio, ele ainda continuou a ser um soldado pouco preocupado com a vida dos outros. Seus legionários degolavam os vencidos aos milhares. Você, Antonius, nunca viu um homem, de joelhos, erguer o pescoço para que a lâmina o cortasse mais facilmente. Os que hesitam em oferecer a garganta são agarrados pelos cabelos e têm a cabeça puxada para trás. É essa a coragem de um soldado! É isso que fez o pai do tal Martinho, o "santo homem" em quem você quer se inspirar. Você acredita que alguém se torne tribuno militar respeitando a vida? E imagina que conserve o poder mantendo as mãos postas?

Julius começa a andar pelo salão em largas passadas. De vez em quando, ele roça os dedos nos corpos das escravas, inclina-se para suspender-lhes os cabelos, acariciar-lhes os seios, as coxas. Elas soltam risadinhas estridentes, arrulham. Julius pára e planta-se diante de Antonius.

— Abra os olhos! — continua.

Põe as mãos nos ombros do filho:

— Aprenda quem foi Constantino realmente. Você sabe o que fez esse cristão, esse, a quem as pessoas da seita que você segue devem por não serem mais crucificadas ou entregues às feras, mas, muito pelo contrário, serem respeitadas, gratificadas, promovidas?

Julius afasta-se alguns passos. Pára no centro do salão, cruza os braços, afasta as pernas como se tivesse de enfrentar um ataque e se preparasse para resistir. Na penumbra, o vulto do velho magro parece jovem.

— Foi pouco depois de os bispos realizarem o que vocês chamam de concílio, numa cidade do Oriente, em Nicéia, eu acho — diz ele. — Ali se reuniu a maior parte deles. Encarniçavam-se como cães para concluir o que era a verdadeira fé! Porque vocês brigam a propósito de tudo! Nem sabem para que deus estão rezando!

Ele ri sarcástico.

— Como você quer que eu compreenda alguma coisa dessa querela de judeus? Todos se dizem cristãos, mas uns invocam um certo Ário, outros o condenam por heresia e sacrilégio!

Ele abre os braços.

— Venceram os últimos, o que você sabe melhor que eu. Portanto, o deus de vocês é tido como tendo três caras: é ao mesmo tempo Pai, Filho e Espírito. Mas que diferença faz, se vocês continuam a brigar? Eu, se fosse cristão, seguiria Ário, que proclamava um deus único do qual tudo procede. E você, o que diz disso?

Antonius murmura que acredita na Santíssima Trindade, no mistério de Deus que é Pai, Filho, Verbo.

Julius balança a cabeça.

— Vocês, cristãos, precisam da água turva, pois assim ninguém vê seus anzóis, suas ambições, seus ódios, seus crimes! Vocês rezam de mãos juntas sobre os lábios, enquanto seus dedos escondem os dentes aguçados e abafam os rugidos.

Julius inclina-se para a frente, parecendo esperar um protesto do filho, mas no rosto de Antonius esboça-se o mesmo sorriso apiedado.

— Constantino, Constantino, o grande imperador de vocês! — repete Julius. — Ele se diz "bispo do exterior", belo título! Condenou Ário, depois sustentou os arianos. Ele mudou de bandeira e de estandarte ao sabor de seus interesses. Mas talvez acredite mais no deus Baal do que em Cristo. É isso, Antonius, Constantino agiu como um cananeu adepto desse deus pagão que você recusa.

Julius estende o braço, dedo em riste diante de Antonius.

— Alguns meses depois do Concílio de Nicéia, ele mandou assassinar o próprio filho, Crispus, para satisfazer a nova esposa, Fausta. Ela acusara Crispus de querer seduzi-la e possuí-la. Estrangular Crispus! Exatamente como Nero ou Calígula e até César teriam ordenado! Assim sendo, como separar o joio do trigo?

Julius cochicha na orelha de Antonius como se lhe contasse um segredo:

— E depois, a mãe de Constantino, essa santa mulher, essa tal de Helena que foi a Jerusalém para recolher os pedaços da cruz, decidiu que devia vingar Crispus: mandou atirar Fausta na água fervendo como uma galinha que vai ser cozida. Em Roma! Lá, onde os cristãos se curvam diante das relíquias! Ah! Que santa mulher, essa Helena! Ah! Que grande imperador cristão, esse Constantino!

Julius enche a boca de bagos de uva, mastiga-os, e um sumo espumoso cobre-lhe os lábios, escorre pelo queixo. Ele cospe.

— Mas eu admito — continua, enxugando-se com a manga da túnica, —, os degolados já não são mais os cristãos e sim os pagãos.

Inclina-se novamente para o filho.

— Você vai me denunciar porque continuo a venerar Júpiter e Vênus, Marte e Apolo? Vai me entregar à faca de um assassino, como fez Constantino com o filósofo Sópatros, que se recusou a adorar Cristo? E junto com esse mártir — pois ele o foi, não é? — queimaram livros gregos. De que vocês têm medo afinal, vocês, cristãos? Das forças do espírito?

Julius Galvinius enfia o braço sob as axilas de uma escrava para que ela fique de pé junto dele.

— No entanto, Sulpício Severo, Gallus e Paulino insistem que a palavra *amor* é a primeira que os cristãos aprendem. Cristo é amor, ele ensina o amor... é o que eles garantem.

Ele se afasta enlaçando a jovem escrava.

— Quanto a mim, eu faço amor — lança de longe.

SETE

Antonius fecha os olhos, tapa as orelhas com as mãos. Enrosca-se com a cabeça enfiada nos ombros. Não quer ver mais. Não quer ouvir. Reza para que seu corpo se dissolva, que Deus o leve para longe desta sala, desta jovem, a segunda escrava.

Ela caminhou para ele com as mãos entrelaçadas na nuca, e um dos véus que a envolvem escorregou, expondo os ombros desnudos, e quando ela se espichou, levantando um pouco os cotovelos, e se ergueu na ponta dos pés, Antonius viu tufos de pêlo ruivo em suas axilas.

Então ele apertou as pálpebras com tanta força para apagar essa visão, que teve a sensação de que todo o seu rosto se deformava num esgar, a mandíbula subia, os globos oculares afundavam nas órbitas e assim ele não veria mais essa imagem do Demônio.

Mas a jovem começou a falar tão junto de Antonius que era como se as palavras que ela dizia brotassem do fundo das orelhas dele, de dentro de seu peito, de seu ventre, e ele apertou a cabeça entre as mãos.

Mas continua a ouvi-la, a vê-la.

Ele recua, esbarra no tamborete, cai. Afasta os braços para recobrar o equilíbrio e, de súbito, sente esse corpo de mulher encostado ao seu. Ouve a voz que o penetra e murmura.

Ela diz que ele deve segui-la, deitar-se junto dela, senão o amo, Julius Galvinius, vai chicoteá-la.

— Eu farei o que você quiser — diz ela —, sou obediente. Se você é generoso, protege-me, deitando-se a meu lado. Assim meu amo ficará satisfeito.

Antonius faz um gesto para empurrá-la mais ainda e, ao fazê-lo, suas mãos tocam nos seios da jovem. É como se ele estivesse inteiramente envolto em chamas, o corpo todo em carne viva, dolorido, retesado.

Ele a empurra, grita, corre em direção ao terraço.

Enquanto desce a escada voando, recorda-se de uma noite, quando era criança, em que fugiu do quarto onde o pai o fechara com duas jovens escravas.

Elas começaram a despi-lo e a apalpá-lo, a untar seu corpo com um óleo perfumado. A princípio ele se abandonou, pernas abertas, cedendo ao desejo. Elas riam enquanto o acariciavam suavemente por entre as coxas. E, de repente, ele ouviu a voz de sua mãe que o chamava: "Antonius, Antonius!" Ele empurrou as duas jovens, correu para o terraço e, sem nem procurar a mãe dentro de casa, embrenhou-se na campina. Como nesta noite.

Antonius pára no fim da alameda quase sem fôlego de tanto correr. Volta-se. A neblina da madrugada já envolve a vila. Ele ouve um bater de asas do lado do rio que separa o parque dos campos cultivados.

Cai de joelhos.

— Que Deus me leve como levou minha mãe!

Foi ali mesmo, naquela alameda, que sua mãe o encontrou naquele dia distante. Ele estava ajoelhado, não porque rezasse — ainda não sabia nada de Deus —, mas porque tremia de emoção à lembrança das carícias, do aroma do óleo com que as jovens lhe untaram o corpo.

A mãe o tomou pela mão e levou-o até a beira do rio. Mostrando-lhe a água, ela fez sinal com o braço ligeiramente erguido para que ele entrasse no rio, deixasse a água corrente lavá-lo até apagar a lembrança do que acabava de viver.

A água estava gelada, mas, a seu contato, Antonius experimentou uma sensação de plenitude e leveza. E voltou sorrindo para junto da mãe. Ela lhe disse que ele havia nascido uma segunda vez, que estava como novo. Que ele havia escapado às tentações do Demônio e devia guardar-se para Deus. Mas Deus sempre o deixaria livre para escolher entre os dois caminhos.

Voltaram para a vila e, desde esse dia, sua mãe diariamente lhe recitava palavras santas. Cada palavra que ele ouvia, cada frase que aprendia e por sua vez repetia eram como um pedaço da armadura que o protegeria das tentações.

Mas nem por isso o combate estava ganho.

Ele se ergue, caminha em direção ao rio.

No primeiro dia, a mãe ensinou-lhe que o mal nascia dentro de nós:

— Ele se forma por um efeito da nossa vontade, sempre que a alma se afasta do bem... A responsabilidade dos males que o afligem hoje não recai sobre Deus, que criou nossa natureza independente e livre, mas sobre nossa imprudência, que escolheu o pior em vez do melhor, o mal em vez do bem.

Assim falara Gregório de Nissa, um santo homem, bispo no Oriente, conselheiro do imperador.

Antonius tinha apenas dez anos, então. Pouco depois, seu pai deixara o domínio para lutar na fronteira do Norte. Antonius sentira essa partida como um sinal desse Deus cuja presença ele percebia cada vez mais forte dentro de si, ainda que se perguntasse, como hoje, ao ouvir o barulho da água sem conseguir divisar o rio encoberto pela neblina: "Como posso ser a imagem de Deus, eu que sou feito de lama?

Nessa noite, o contato com o corpo jovem da mulher perturbou-o a tal ponto que ele precisou fugir. Embora soubesse que "Deus condena todo desejo carnal que ultrapasse o desejo de procriação", ele sentiu arder o desejo dentro dele.

Aproxima-se da margem. Pelo barulho das asas que afloram a água, ele adivinha gansos selvagens levantando vôo, rompendo a neblina como se abanassem grandes leques.

Ele escorrega pela margem, quer entrar na água para afogar todas as tentações, todas as palavras lançadas contra ele, contra Deus, por Julius Galvinius, que fala, blasfema, como quem atira pedras.

Seu pai caluniou o imperador Constantino, que, no entanto, escolhera para o próprio filho, Crispus, um preceptor cristão, Lactâncio, que escrevera: "Deus instigou os príncipes que aboliram o império criminoso e sangrento dos tiranos e gratificaram o gênero humano, dissipando, por assim dizer, a nuvem dessa época sinistra e despertando em todos os corações a alegria e a doçura de uma paz serena... Hoje, após as violentas perturbações dessa tenebrosa tormenta, o ar recobrou a calma e a tão desejada luz, todo o seu brilho."

Mas Julius Galvinius não quer nem ouvir falar nisso! Está interessado em fazer renascer a "conspiração dos ímpios". Atira as palavras como se fossem pedras. Ele injuria Deus.

Antonius entra no rio. Embora transido de frio, ele mergulha de corpo inteiro na água como no dia em que sua mãe o lavou das tentações — como no dia do batizado.

Ele precisa se cobrir inteiramente com essa água. Mergulha a cabeça até ficar sem fôlego.

Não treme de frio. Volta à margem, ajoelha-se e murmura:

— "Senhor, se és meu rei e meu Deus, ouve minha prece: que minha alma não fraqueje sob Tua disciplina e eu não fraqueje em proclamar Tuas misericórdias que me afastaram de todos os caminhos de perversidade."

* * *

Ele se espicha sobre o solo, braços estirados, o rosto enfiado na relva coberta de orvalho.

Ele não fraquejará. A exemplo de Martinho, oporá a armadura da fé às palavras lançadas por Julius Galvinius.

Recorda-se da passagem do Evangelho que sua mãe lhe recitara quando Julius Galvinius, de volta ao domínio, orgulhoso de todas as vitórias conquistadas, destilara insultos contra ele e sua mãe; ela, acusada de ter castrado o filho, e ele, Antonius, de não passar de um homem sem vigor, um desses cristãos, um mancebo de Deus!

Antonius murmura:

— "Felizes sois, quando vos injuriarem e vos perseguirem e, mentindo, disserem todo o mal contra vós por causa de mim. Alegrai-vos e regozijai-vos, porque será grande a vossa recompensa nos céus, pois foi assim que perseguiram os profetas, que vieram antes de vós."

OITO

Antonius Galvinius volta para a vila. Suas roupas molhadas colam-se em seu corpo, mas ele não treme de frio, apesar do vento gelado que sopra e dissipa a neblina, desvelando o céu azul fendido pelo vôo das aves migratórias.

Do terraço, Antonius segue-as com os olhos. Elas se dirigem para o horizonte como a ponta negra de uma flecha. Quando afinal desaparecem, ele se vira e vê o pai deitado na êxedra.

Julius Galvinius cochila: o antebraço e a mão pendem fora do leito. Os dedos ossudos descansam no piso de mármore feito galhos secos já tomados pela morte.

É preciso rezar por este homem, afastá-lo do demônio que dele se apossou.

— A alma é um pássaro — começa Antonius. — O Diabo a aprisiona e fura-lhe os olhos.

Julius Galvinius fecha a mão sem recolher o braço. Ele resmunga: será que Antonius vai-lhe ensinar que Deus abre a gaiola e que a alma voa? Outrora, nenhum cidadão de Roma, nenhum aluno dos gregos, nenhum leitor de Tácito, de Celso, de Cícero, de Aristóteles, de Tucídides ou de Plutarco ousaria proferir tais asneiras!

Ele faz uma careta expressando desdém e cansaço.

Antonius se aproxima. Fala de Agostinho, o grande bispo que conta em seus escritos como Deus o chamou, gritou-lhe, expulsou sua surdez, como Ele brilhou e resplandeceu e rompeu sua cegueira.

— A alma não conhece as estações da vida — prossegue Antonius. — Deus pode salvá-la no último instante. Assim fez Ele com Constantino, o Grande.

Antonius puxa o tamborete, senta-se bem junto da mão cuja magreza e fragilidade o comovem.

— Martinho era uma criança de doze anos quando Deus lhe falou — continua. — Durante dias, numa das carroças que seguem as legiões, ele atravessou a Panônia, depois a região cisalpina. Seu pai cavalgava à frente das coortes, e nunca se juntava aos seus, à noite, na hora do descanso. Era um homem tão duro quanto o ferro de seu gládio, cuja lâmina ele afiava antes de cada batalha. A legião que ele comandava devia aquartelar-se em Pavia, cidade à beira do Ticino. Imagino que vejo esse vale, as margens desse rio. Ali, as encostas são cobertas de pinheiros. A vinha é cultivada nos solos mais pedregosos e, no outono, tons de ruivo e dourado recobrem a região. O *limes* fica distante. Em Pavia, esquecem as incursões bárbaras, e Martinho corre pelas ruelas que levam à campina sem obstáculos de muralhas e torres de vigia. Ele é como um pássaro que paira no ar sem saber ainda o que procura. E foi assim que ele entrou numa igreja e ouviu vozes que repetiam:

Felizes os pobres no espírito, porque deles é o Reino dos Céus.
Felizes os mansos, porque herdarão a Terra.

Felizes os aflitos, porque serão consolados.
Felizes os que têm fome e sede de justiça, porque serão saciados.
Felizes os misericordiosos, pois alcançarão misericórdia.
Felizes os puros no coração, pois verão a Deus.
Felizes os que promovem a paz, pois serão chamados filhos de Deus.
Felizes os que são perseguidos pela justiça, porque deles é o Reino dos Céus.

Antonius interrompe a recitação. Ele não dirá "Felizes sois, quando vos injuriarem."

Olha para o pai que tem a fisionomia deformada por um ricto de desdém.

— Palavras de escravos e de covardes! — resmunga Julius Galvinius, soerguendo-se apoiado nos cotovelos. — Ou astúcia de imperador que ensina a submissão para melhor reinar!

Ele se senta no leito e continua:

— Quando já não se consegue esmagar as revoltas dos escravos, quando já não se sabe vencer os bárbaros, então é preciso pregar dessa maneira, fazer do culto de Cristo o culto do Império, na esperança de que escravos e visigodos se ajoelhem, não mais para estender o pescoço ao gládio do vencedor, mas para rezar.

Deita de novo, a mão tocando o chão.

Antonius a observa. Ela lhe parece retorcida, os dedos pontudos, as unhas afiadas como as garras de uma ave de rapina.

O rapaz se levanta. Sente novamente vontade de deixar este mundo.

Aliás, também não obedeciam a esse desejo aqueles que se refugiavam nas grutas da montanha Negra, do deserto ou das falésias? Antão, Pacômio, Agostinho não haviam cedido a essa tentação do isolamento?

O próprio Martinho, em Pavia, quando tinha apenas doze anos, tentou encontrar as pequenas comunidades que se criaram fora da cidade, no vale do Ticino.

Antonius dá alguns passos.

— Aonde vai? - pergunta Julius Galvinius. — Já está se esquivando?

Apóia-se na mão para se soerguer. Com a outra mão, ele acena ordenando que o filho fique.

— Antigamente — continua ele —, os escravos revoltosos eram crucificados. Crasso ergueu milhares de cruzes na via Ápia até as portas de Roma. E Cristo também não passava de um insubmisso; por isso é que teve a mesma sorte de Espártaco e dos escravos. Lamento que aquele tempo não mais exista. As palavras, as preces que você diz difundem uma névoa mentirosa. A morte, essa nunca mente.

Ele bate com o punho no peito.

— Ela está aqui, ela me chama!

— Cristo ressuscitou! — murmura Antonius.

Julius solta uma gargalhada.

— Não estou ouvindo! — retruca.

E, em seguida, fecha os olhos com a fisionomia subitamente muito cansada.

NOVE

Antonius não se move. Tem a impressão de que duas mãos pressionam-lhe a nuca, obrigando-o a abaixar a cabeça, a continuar ali, sentado junto do pai, que adormeceu. Uma força quer forçá-lo a ouvir a respiração ruidosa e ofegante de Julius Galvinius, uma expiração rouca que parece rasgar-lhe o peito e a garganta, e geralmente termina num gemido agudo, sibilante.

Mas o silêncio que se segue a cada expiração é insuportável.

Antonius se debruça e espreita. Na penumbra, ele entrevê o perfil ossudo, as maçãs salientes, as têmporas sulcadas, o pescoço descarnado do pai.

A respiração difícil, arquejante, é o rumor da batalha que se trava nesse corpo. Quanto aos silêncios, eles anunciam o triunfo da morte.

Enfim, o peito se alteia. A boca se abre. O rosto exprime a dor. Mas é a vida que, bem ou mal, continua a lutar.

Antonius se endireita. O ruído que o afligia, de repente, o acalma. Ele se sente perturbado.

Teria medo da morte, ele que acredita que ela é uma libertação, a passagem que leva ao encontro de Deus?

Ele se ajoelha, toma a mão do pai, tão fria, seca como um galho morto. Segura-lhe o pulso, levanta o antebraço, pousa-o ao lado do corpo como se já fosse um membro à parte.

Julius Galvinius geme, vira-se. Sua mão agarra a do filho que suavemente tenta se soltar. Mas a mão resiste e Antonius cede.

Ele se recorda dessa mão que tantas vezes se ergueu para ordenar que lhe dessem dez chicotadas. E eram esses dedos que contavam os golpes. Às vezes até o esbofeteavam, deixando-lhe marcas vermelhas na face.

Ele tinha de suportar, como hoje, porque todos devem obedecer ao pai. E que não o maldigam, mas almejem salvá-lo do mal pela prece.

E foi o que Martinho, quando criança, deve ter feito depois de tentar escapar dos soldados que o pai enviara a sua procura. Eles percorreram as ruelas de Pavia e irromperam na igreja, golpearam com o cabo das lanças os cristãos ali reunidos, gritando que precisavam encontrar Martinho, filho do tribuno. Que ele ainda não era um homem, e esses filhos de judeus, esses cristos, o haviam desviado dos deveres de um cidadão romano. Ameaçaram saquear a igreja, quebrar o altar, violar as mulheres e depois degolar os crentes. Depois partiram ameaçadores.

Alguém lhes teria segredado que Martinho às vezes saía da cidade e ia ao vale do Ticino? Que ele era visto rezando sozinho sob os pinheiros, que, por nascimento, seu pai podia ser um tribuno militar, mas ele escolhera ser filho de Deus e esperava o batismo? Mais tarde, provavelmente ele se reuniria aos eremitas, aos magros, aos ascetas que mergulhavam na prece, no fundo das grutas.

* * *

Os soldados encontraram Martinho justamente sob as árvores do vale. Eles o arrastaram com as mãos amarradas nas costas, com uma trava nas pernas como se faz com um escravo fugido ou um desertor. E o pai batera no filho.

Por quê, berrava o pai, por que Martinho, em vez de celebrar o deus Marte, o deus de seu pai, o da guerra, o deus do qual ele trazia o nome, ajoelhava-se diante de um judeu crucificado que pretendiam ressuscitado?

Onde já se viu os combatentes mortos se levantarem, as feridas, as gargantas abertas, os peitos cravados se fecharem, na noite de uma batalha? Quem podia acreditar a não ser judeus e filhos de judeus, a não ser escravos, povos submissos, bárbaros, que a Morte, quando fazia um prisioneiro, o deixava voltar?

De punho cerrado, o tribuno militar ameaçara o filho. E Martinho ficara imóvel, enquanto o pai descrevia os vencedores despojando os cadáveres inimigos das armas, das couraças, dos capacetes. Eles amontoavam o saque nas carroças e, às vezes, o entrechocar das lanças e dos gládios aos solavancos nos carros encobria o grasnar dos corvos e o grito estridente dos abutres.

Nenhum desses corpos nus abandonados no campo de batalha jamais voltou à vida. Os lobos da Germânia e da Panônia saíam da floresta para disputá-los. Lá, onde o *limes* atravessava campos pedregosos e desertos, eram os chacais e as hienas que vinham esquartejá-los.

O tribuno ordenara que Martinho se submetesse à lei romana que exigia que os filhos de um veterano — ele era um deles, para glória de seu pai — também se tornassem soldados, empunhassem o gládio e vestissem a armadura, isso durante vinte anos.

Martinho que se prepare! Quando fizer 15 anos, irá para as legiões, onde se mostrará servidor do imperador e do deus Marte.

Martinho pensou em fugir, como faziam muitos, para evitar uma vida a serviço das armas. Viu as costas dos que foram apanhados laceradas pelas chicotadas que receberam. E viu as mãos dos que preferiram cortar os dedos para não poder segurar uma arma.

Ele sabe que às vezes são os pais que mutilam os filhos para evitar que sejam recrutados. Alguns — ricos proprietários de domínios, senadores, prefeitos — pagavam oitenta peças de ouro a quem servisse por vinte anos no lugar de seu rebento.

Mas um tribuno militar não dispõe das vinte mil peças de ouro a que pode chegar o confortável vencimento de um senador. De resto, o pai de Martinho lhe dissera que, se tivesse meios de pagar um substituto, ele se recusaria. O filho de um tribuno, dedicado ao deus Marte, deve ser soldado como foi seu genitor.

Martinho ouviu. Ele recusou a lei que o pai tentava impor-lhe. Decidiu refugiar-se entre os cristãos que o acolheriam de boa vontade, já que rejeitavam a profissão das armas, em que só se sabe roubar, violar, matar. Mas, quando tentou deixar a casa, o pai avançou sobre ele, usando a força, a experiência e a brutalidade de veterano, segurou-lhe os braços, amarrou-os nas costas, e Martinho, de cabeça baixa, desistiu de se debater.

O pai o entrega assim, acorrentado, aos legionários. Da soleira de casa a mãe vê o filho se afastar entre os soldados.

Martinho não se debate.

Deus não se opôs à vontade do pai. Ele precisa se submeter, portanto. Ninguém pode perscrutar as intenções do Altíssimo.

Os dedos de Julius Galvinius estão descerrados, ele recolheu o braço, pôs a mão no peito.

Entreabre os olhos e, por um breve instante, parece não reconhecer Antonius, que está debruçado sobre ele.

— Você a espreitava, hem? — murmura afinal. — Esperava que ela me levasse?

Dá uma risadinha, bate no peito: sim, a morte está bem ali, a lhe roer o corpo.

— Mas eu ainda sei lutar! — acrescenta.

Ele se ergue, chama os escravos com voz mais firme, autoritária, e vira-se para Antonius.

— Pois reze você por mim a seu deus — atira em tom irônico e desdenhoso.

SEGUNDA PARTE

DEZ

— Pai, meu pai... — começa Antonius.

Interrompe-se.

Ele está de joelhos no pequeno quarto de paredes de barro seco e chão de terra batida que ocupa nos alojamentos da vila onde vivem os escravos. Decidiu morar lá no dia seguinte à morte de sua mãe, pouco depois de ter sido batizado, enquanto seu pai amaldiçoava a falecida, regozijando-se com a morte dela e percorrendo em companhia dos convidados as colunas enfileiradas do peristilo ou ainda mostrando os afrescos que mandara pintar nas paredes do átrio.

Antonius afastara-se sob os sarcasmos de Julius Galvinius:

— Junte-se aos seus, viva com os porcos! — lançara-lhe o pai antes de se voltar para as mulheres que o rodeavam, gritando alto que talvez o filho preferisse o odor das porcas e não desejasse outra coisa senão se esparramar com elas, a cabeça entre as coxas delas.

— Lave o focinho quando voltar aqui — debochou.

— Pai, Pai nosso... — recomeça Antonius.

Mas ouve as vozes, os gritos ou choro de crianças, risos ou suspiros de mulheres, berros ou blasfêmias de homens. À noite, esse rumor, esses cacarejos sufocam a palavra que ressoa nele, a única que ele queria ouvir:

— Pai, Pai nosso...

Ele sai do quarto várias vezes, dá alguns passos no pátio enlameado onde os leitões vêm focinhá-lo. Cachorros latem. Aqui e ali, ele distingue vultos de homens e mulheres que se acasalam, fornicando como bichos. Ele fecha os olhos, entra de novo tateando. Ajoelha-se.

— Pai, Pai nosso... — repete.

Como resistir por muito tempo no convívio com esses animais que povoam o mundo?

Deus dar-lhe-á força para defender as muralhas que o batismo e a fé ergueram em torno dele?

É preciso defendê-las como Martinho defendeu as dele, desde aquele dia em que, empurrado, maltratado, acorrentado pelos soldados que o detiveram na casa paterna, ele entrou para o campo das legiões.

Soltaram as correntes. Deram-lhe bastonadas nas pernas e nos ombros para que ele se aprumasse, se apresentasse como filho de veterano diante do centurião e do *dilectator*, os oficiais que iram comandá-lo, ensinar-lhe o que era ser um legionário.

Como ele pôde manter essa chama dentro de si quando ainda nem fora batizado, quando apenas entrevira a face de Deus, guardara algumas palavras do Evangelho?

Mas são essas palavras de Cristo que ele repete a cada instante do dia, quando tem de correr, saltar, nadar, aprender a manejar as armas, a apontar o gládio com o joelho flexionado, o braço estendido, ou arremessar o dardo, e marchar, marchar, atravessar os rios, os desfiladeiros nevados, chegar à Gália, montar acampamento e marchar, marchar em direção às florestas sombrias dos países de gelo e neve.

E viver ali entre homens sem fé.

... *Quando escuta, como eu escuto, os escravos rosnarem no prazer carnal a que se entregam sem se preocuparem com o que disse Deus...*

Martinho convive com eles, recebe suas ordens, senta-se junto deles para partilhar o grão cozido.

Oferecem-lhe bebida. Ele recusa. Querem arrastá-lo para as carroças cheias de mulheres que seguem a legião, onde os soldados entram sorrateiros quando cai a noite. Ele se esquiva.

Os homens o insultam. Caçoam: quem é ele para viver assim, só na canseira das jornadas de marcha e exercício?

Provocam discussão. Ele não responde. Isola-se.

Murmura as palavras do Evangelho:

— "Felizes sois, quando vos injuriarem e vos perseguirem e, mentindo, disserem todo o mal contra vós por causa de mim..."

Assim vive ele dia após dia e, pouco a pouco, os homens acabam por aceitá-lo como ele quer ser, silencioso e fraternal, substituindo no posto de guarda quem deseja ser substituído, carregando o saco de quem tem o lombo moído de cansaço, dividindo sua tigela com aquele que nunca está saciado, dando seu vinho, partindo seu pão para oferecer a metade.

— Quem é você? — perguntam-lhe os homens, meio irônicos, meio inquietos.

Ele não responde, pois ainda não passa de um homem que caminha para Deus e ainda não foi imerso nas águas do batismo. É um catecúmeno cuja bondade e generosidade desarmam o ódio, o desprezo, a violência desses gauleses, desses ilírios, desses bárbaros, godos e citas, visigodos e germanos que então povoam as legiões de Roma.

Ele é filho de um tribuno militar.

Agora, depois que tantas marchas e exercícios transformaram seu corpo numa estrutura de músculos e instintos tão eficaz quanto a de uma máquina de guerra, ele é designado para fazer parte das Alae Scholares, a cavalaria da guarda imperial, a que cavalga em torno do imperador, homens que usam o grande manto de lã branca, a clâmide, e são vistos de longe. Ele é cavaleiro de primeira classe, oficial da guarda imperial.

— Pai, Pai nosso... — murmura Antonius rememorando.

Martinho precisa resistir ao prazer de ter um corpo de músculos retesados como a corda de um arco. Ele precisa repelir o orgulho de cavalgar entre os soldados de manto branco, esses *candidati* que todos respeitam e invejam, que recebem soldo duplo e dispõem de um escravo que afia seu gládio, prepara sua refeição, limpa suas vestimentas, monta sua tenda, no repouso do pernoite. E deita-se aos pés do dono como um cão.

O escravo é um animal que espancamos ou acariciamos e do qual podemos abusar à vontade?

Às vezes Antonius vê o responsável pela área — olhos e mãos de Julius Galvinius — atravessar o pátio enlameado para buscar uma jovem virgem. Ela se corrompe nesse fedor de chiqueiro. Ele mandará que a lavem e perfumem. É como um ajudante de cozinha que vai escolher e apanhar uma galinha no quintal, depois a depena e doura para apresentá-la assada ao ponto.

Eis a tentação. Eis o que ordena o comportamento paterno.

Mas Martinho pede que seu escravo se sente. É ele quem lava os pés desse homem. Ele é quem vai servi-lo. Quem vai preparar sua refeição.

À noite, no momento de se sentar à mesa, ele lhe repete a palavra de Cristo que diz: "Eu não o chamo mais de escravo, pois o escravo não sabe o que seu amo faz, mas eu o chamei de amigo, porque tudo o que ouvi de meu Pai eu lhe dei a conhecer."

Ele reparte seu soldo com o escravo. E a parte que conserva distribui entre esses homens, entre os filhos deles, entre as mulheres de rostos escurecidos de lama e de poeira, que ficam nas portas do acampamento, estendem a mão, mostram as costelas salientes, os ventres cavos, porque têm fome e tremem de frio.

Quem são eles?

Bárbaros vencidos, gauleses que vagueiam por um país que foi o deles, e cujo solo não lhes pertence mais, ontem homens livres, hoje escravos famintos expulsos de suas terras, fugindo dos grandes domínios, das surras e do trabalho que mata.

Martinho inclina-se sobre o pescoço de seu cavalo. O manto branco, preso no ombro por uma fíbula, cobre a garupa e os quartos traseiros da montaria.

Ele dá a quem lhe estende a mão. Diz, repetindo as palavras de Paulo, o apóstolo, que aprendeu com os cristãos de Pavia: "Não há mais judeus, nem gregos, nem escravos, nem homens livres."

"Pai, Pai nosso...", reza Antonius.

As vozes dos escravos enchem o pátio e misturam-se com os latidos dos cães, os guinchos dos porcos.

Homens, animais...

É assim que o dono, seu próprio pai, Julius Galvinius, considera os escravos aos quais concede a vida ou confere a morte a seu arbítrio: uma tropa de animais com aspecto humano.

— Pai, Pai nosso... — murmura Antonius.

Ele não esqueceu as palavras do bispo Gregório de Nissa que a mãe lhe ensinara. Repete-as ajoelhado:

— "Aquele que foi feito à semelhança de Deus e de Deus recebeu poder sobre todas as coisas da Terra, quem poderá vendê-lo ou comprá-lo? O escravo e o senhor diferem em alguma coisa? Não serão ambos, após a morte, igualmente reduzidos a pó e julgados pelo mesmo Deus? A ti, que em tudo és igual a esse homem, pergunto-te: que título de superioridade tens a alegar para te acreditares seu dono?" Pai, Pai nosso...

Antonius ouve um berro de repente. É uma leitoa sendo degolada ou uma mulher sendo possuída.

ONZE

Antonius pára a alguns passos do pai que está em pé, de costas para ele, diante da lareira da êxedra. Encurvado, a cabeça enfiada nos ombros, Julius Galvinius cruza os braços, parece que quer reter o calor do corpo, velho pássaro cujas asas brancas fremem às vezes. Com um movimento instintivo, ele fecha a túnica para melhor envolver os membros e o torso debilitados.

Antonius estende a mão. Desejaria estreitar o pai contra si, aquecê-lo. Mas hesita.

O ancião nunca teve um gesto de amor. A própria palavra o faz rir de desdém. Ele blasfemou, negou Deus. Amaldiçoou a mãe. Castigou, insultou, desprezou o filho.

Antonius abaixa o braço. Entretanto, o ancião o comove.

Ele murmura:

— Pai, Pai nosso...

É preciso orar por ele para salvar-lhe a alma.

Julius Galvinius vira-se, vê o filho. Empertiga-se afastando os panos da túnica. E é uma águia que abre as asas, ameaçadora.

Com um rápido gesto da mão esquerda, como quem expulsa um impertinente, ele ordena que Antonius se afaste.

— Você cheira a pocilga! — diz ele.

O asco está estampado em seu rosto.

— Você fede a escravo — continua. — Antes de pôr os pés aqui, mergulhe na água do caldário e peça que lhe esfreguem, que lhe lavem o corpo todo. Não gosto desse odor de bicho e estrume que você tem no corpo.

E cai na gargalhada.

— Se você é tão chegado a freqüentar os escravos, rapazes ou moças, exija de antemão que eles se lavem e se perfumem.

Senta-se no tamborete, de costas para a lareira.

— Mas quem sabe vocês, cristãos, tenham necessidade de cheirar o que é sujo, quem sabe prefiram os bichos aos humanos. Já me disseram que vocês adoram os burros e os bois, que vocês rolam no lamaçal, que preferem se vestir de trapos. Mendigos, escravos, bárbaros do Oriente, judeus: são esses os seus irmãos...

Ele dá de ombros.

— Desminta-me se for capaz!

Antonius murmura a frase de Paulo:

— "Não há mais judeus, nem gregos, nem escravos, nem homens livres."

Está para citar a de Gregório de Nissa: "O escravo e o amo diferem em alguma coisa?", quando Julius Galvinius dá um salto, berra com estridência:

— Vocês destruíram Roma!

Ele dá grandes passadas, tão rápido que até se podia dizer que se prepara para cair sobre uma presa. E vira-se para Antonius.

Diz que, durante uma grande parte da noite, leu o livro em que Sulpício Severo conta a vida de Martinho.

— Mentiras, farsas! — exclama.

Volta a se sentar, inclina-se para a frente.

— Sulpício e você, certamente, pretendem que Martinho pegou em armas somente durante alguns anos, que se conduziu como um santo homem, um asceta, um misericordioso. Mas quem vai acreditar que um oficial das Alae Scholares servia seu escravo e lhe lavava os pés?

Solta uma gargalhada.

— É preciso nunca ter marchado, lutado, vivido com uma legião de Roma para ousar escrever e proferir uma tal sandice! Como se fosse possível segurar o gládio com uma das mãos e dar esmola com a outra! Conheci os gauleses e os bárbaros alistados sob a insígnia de Roma. Eu os comandei. Lutam como tigres ou lobos. Degolam. Pilham. Bebem. Violam. Mutilam. E você imagina que Martinho não teria participado desses combates? Acredita que ele fez parte da guarda imperial, que o nomearam oficial para parabenizá-lo por ter vivido como cristão, envolto no seu manto branco, afastado dos massacres e das orgias?

Ele ergue os braços. Não condena Martinho, muito pelo contrário.

— Pelo menos, eis aí um cristão que sabe o que são os homens e agiu como um romano durante uma boa parte da vida! Quantos anos: quatro ou cinco lustros? Mas quem sabe ele ainda não era cristão?

Sacode a cabeça.

— Talvez ele fosse dessa espécie de cristão que reza antes de matar, desses que servem o imperador como bons cidadãos, valorosos centuriões. Você sabe que no tempo de Marco Aurélio, há mais de quarenta lustros, a décima segunda legião, a Fulminata Melitensis, já contava com muitos cristãos em suas fileiras? Eles combatiam os bárbaros quados. Exauridos, morrendo de sede, rogavam ao deus deles, o seu, para que os regasse com uma chuva salvadora a fim de que, revigorados, eles conquistassem a vitória.

Julius Galvinius se interrompe.

— Seu Cristo seria, portanto, um estranho deus que às vezes favorece os desígnios de Roma, enquanto os imperadores que sucederam a Marco Aurélio crucificam, queimam e empalam os cristãos. Isso não o surpreende?

Ele estende o braço para Antonius.

— E se o seu deus, todos os deuses só existissem na cabeça dos homens?

Ele suspira, deixa tombar o braço novamente; tem a fisionomia abatida como se o prostrasse um súbito cansaço.

— Constantino, o Grande, esse, sim, escutou a Deus — começa Antonius a retorquir.

Julius Galvinius alça os ombros. Seu filho esqueceu os crimes de Constantino? Um cristão, aquele homem? Antes um imperador que se empenhou para reunir em torno dele as forças do momento. Os cristãos existem? Pois bem, vamos utilizá-los!

Julius Galvinius ergue-se com dificuldade.

— Eu não condeno Constantino — murmura — nem os da seita que você segue, para os quais Cristo não passa de um disfarce. Mas desprezo esses, e você me parece um deles, que dão crédito às mentiras. O mentiroso é um homem esperto; o crente, uma besta!

Ele atravessa a êxedra a passos lentos, dirige-se para o peristilo, desaparece, retorna em seguida e mostra a Antonius várias folhas de pergaminho.

— Você me falou do grande bispo Agostinho...

Balança a cabeça.

— Sabe o que escreveu esse santo homem, esse cristão em quem você se inspira?

Põe-se a ler em voz grave:

— "Ninguém pode matar os homens a menos que seja soldado ou ocupe uma função pública, isto é, que não o faça por si, mas pelos outros e pela cidade, em virtude do poder legítimo que recebeu."

Inclina-se para o filho.

— Diga-me se há um imperador que condene essa regra e se há um soldado, ainda que se chame Martinho, a quem ela não agrade...

DOZE

— Soldado, Martinho o era no meio dos soldados...

Assim Antonius começa a falar.

Não olha para o pai. Imagina o sorriso irônico e desdenhoso de Julius Galvinius.

— Mas — continua — sob a clâmide de espessa lã branca, sob a máscara de oficial da cavalaria imperial, havia um cristão, soldado do imperador, mas combatente de Cristo.

Antonius fala com voz forte para não ouvir as interrupções e os sarcasmos do ancião.

— Então ele servia na guarnição de Samarobriva Ambianorum, também chamada de Amiens. As muralhas da cidade se erguem na margem de um rio, no meio de uma planície gelada varrida pelo vento cinzento que sopra do norte. Esse vento traz turbilhões de uma neve que gruda na pele e se transforma, quase imediatamente, em gelo. Naquele ano, toda a água, toda a terra estavam congeladas. As pedras se estilhaçavam com o frio e às vezes blocos despencavam do alto dos muros da cidade. Os pobres morriam cobertos de andrajos, mas ninguém cuidava dos cadáveres enrijecidos pelo frio, tão magros, tão encarquilhados que pareciam galhos de árvore.

"Os que sobreviviam mendigavam. As reservas de grão esgotavam-se e as pessoas temiam não poder abrir sulcos para semear nessa terra coberta de gelo, dura como um chão de mármore em que os cascos dos cavalos deslizavam.

"As patrulhas dos cavaleiros do manto branco cavalgavam em volta da cidade, pois não podiam deixá-la cair nas mãos dos bárbaros que de repente surgissem no horizonte para atacar e saquear uma cidade que acreditavam rica, pois o imperador Valente morou lá e foi lá que elevou o filho, Graciano, à dignidade de Augusto. Além disso, quem tomasse Samarobriva Ambianorum controlaria a via romana que atravessava a campina açoitada pelo vento, gelada no inverno, poeirenta no verão, para chegar à Bélgica ou aos portos de onde se podia embarcar para a Bretanha.

"Lá está ele, portanto, à frente de uma dúzia de cavaleiros, Martinho, *circitor* dos Alae Scholares. Suspende no braço esquerdo o manto branco aberto do lado e preso no ombro direito por uma fíbula. Assim, com um único gesto, pode desembainhar o gládio. Várias vezes, durante as últimas semanas, ele precisou ameaçar os bandos de esfomeados, sempre insubmissos, que se juntam e atacam as patrulhas, saqueiam as carroças, às vezes chegam até as portas de Amiens para desafiar o exército romano, depois fogem, qual uma revoada de corvos que, a um gesto, se levanta, escura, sobre a neve, tão logo avistam as brancas clâmides dos cavaleiros do imperador. Naquele dia, a patrulha conduzida por Martinho só enfrentou as mordidas do vento que gela e racha o corpo, os lábios, as faces. Os dedos e as panturrilhas ficam contraídos, rijos; os homens colam as coxas nos flancos da montaria para extrair um pouco do calor delas. O bafo que sai das narinas do cavalo vira uma larga faixa de fumaça cinzenta, e o animal faz um repentino movimento do pescoço como se quisesse afastá-la.

"Martinho inclina-se para a frente, acaricia o pêlo ruivo de sua montaria. O cavalo também sofreu com essa longa excursão na bruma gelada.

Martinho o afaga e o tranqüiliza. A porta da cidade não fica a mais que algumas dezenas de metros. Ali, no solo coberto de seixos grandes, os cascos dos animais se fixam melhor do que na terra endurecida. Martinho continua debruçado sobre o pescoço do cavalo.

"De repente, uma voz lastimosa, perto dele.... Um homem nu dá a impressão de ter surgido da terra. Estende as mãos. As pessoas que entram na cidade parecem não vê-lo. Entretanto, os olhos dele brilham como as duas últimas centelhas de um fogo que se extingue. Na próxima noite, a força inexorável do frio esmagará esse homem. De manhã, ele não será mais que um corpo morto, um simples montinho de terra. Talvez os lobos e os cães errantes já terão esquartejado seus membros, e os corvos, picado seu rosto. Contudo, é um ser humano.

"O homem abre os braços. Está como numa cruz, deixando à mostra as costelas salientes, a pele que, escavada pela fome, crispada pelo frio, já não esconde a forma dos ossos.

"Martinho puxa as rédeas. Uma voz ressoa em seu peito, lembrança das palavras ouvidas na igreja de Pavia: 'Pois eu tive fome e me destes de comer, eu era estrangeiro e me acolhestes, eu estava nu e me vestistes...'

"O homem nu aproxima-se de Martinho, que estanca a montaria. O crucificado fala, mas suas palavras são quase inaudíveis. Com certeza ele diz que tem fome, que tem frio, que vai morrer se não o ajudarem. Ele implora, ajoelha-se. É como os vencidos que oferecem a garganta ao gládio do soldado.

"Martinho desembainha o gládio, enquanto, com a mão direita, ele solta a fíbula, retira a espessa clâmide branca e, num único movimento da lâmina afiada, corta o manto ao meio. O homem nu se precipita, agarra o pedaço de tecido que escorregou pelo corpo do cavalo. Enrola-se nele e se afasta, como que temendo que lhe tomem de volta essa dádiva tão inesperada, enquanto Martinho prende na fíbula o que sobrou de seu manto. E entra na cidade à frente de seus homens, ouvindo-lhes os debiques e os risos. Alguns arriscam:

"— Por que ele não deu tudo?"

"Em sua tenda, no acampamento, Martinho responde ao criado que, ao ver o manto cortado ao meio, pergunta-lhe o motivo:

"— Dai a César o que é de César, a Deus o que é de Deus.

"Deita-se, fecha os olhos. Ele mesmo está ainda dividido em dois, como esse manto branco. Pertence a César e a Deus. É preciso que ele escolha, que receba o batismo. De repente, tem a impressão de que um clarão ilumina a noite. Vê caminhar para ele um vulto envolto na metade de sua clâmide branca. Todo aureolado de luz, ele está acompanhado por uma multidão que aos poucos sai da penumbra. São os anjos. O homem do manto é o Cristo.

"— Martinho, que ainda não passa de um catecúmeno, cobriu-me com esta vestimenta — diz ele.

"E abrindo os braços acrescenta:

"— O que fizerdes pelo mais humilde dos humildes é por mim que o tereis feito.

"Martinho levanta-se, ajoelha e reza:

"— Que seja feita a Tua vontade, assim na Terra como no Céu..."

TREZE

Antonius abaixa a cabeça. Está sem fôlego. Tem a impressão de que acaba de percorrer uma planície gelada, sem repouso. Sente frio, mas é de emoção que treme. Quem sabe o Senhor lhe apareça uma noite como apareceu para Martinho?

Ele daria a vida por isso.

Teme que as pernas não o sustentem mais. Apóia os ombros na parede defronte à chaminé. Sabe que o pai está sentado no tamborete, de costas para a lareira.

Passado um momento, Julius Galvinius se cala, depois de ter gargalhado durante toda a narrativa.

Quem sabe o exemplo de Martinho o iluminou?

Dizem que bastava que os paralíticos, os cegos, os mudos tocassem, lambessem o chão por onde Martinho passara para se reerguerem, verem, falarem e se converterem.

Quem sabe Julius Galvinius...

Antonius repete num sussurro:

— Que seja feita a Tua vontade, assim na Terra como no Céu.

Ele ergue os olhos.

Na penumbra, ele vê primeiro apenas um vulto escuro rodeado de chamas. Depois, aos poucos, distingue melhor a fisionomia imóvel. Pálpebras semicerradas, lábios unidos, Julius Galvinius parece indiferente. Inclinado para a frente, os antebraços apoiados nas coxas, o corpo dá a mesma impressão de imobilidade marmórea. Com as mãos escondidas nas dobras da túnica, ele parece esses predadores que retraem as garras antes do salto, tornando-se bolas escuras que, ao passar por elas, ninguém imagina que vão pular de garras estendidas, prontas a degolar, a dilacerar, a devorar.

— De modo que Martinho repartiu seu manto — começa o ancião.

Só os lábios se mexeram, mas quase imperceptivelmente. O tom é desapaixonado, tranqüilizador como sabe ser uma armadilha.

— De modo que Martinho viu Deus — continua Julius Galvinius. — E Deus lhe falou, Deus lhe agradeceu por essa esmola! A metade de uma clâmide de lã branca...

Antonius adivinha que o pai se apruma insensivelmente.

— E isso lhe basta?

A voz torna-se mais aguda.

— Uma esmola, uma visão, e eis um soldado que vira um santo homem.

De repente, Julius Galvinius cai na gargalhada, levanta-se, caminha em largas passadas até Antonius.

— Eu posso lhe falar de um homem que também vivia como asceta — diz ele. — Nem carne às refeições, nem mulher na cama, ainda que fosse a esposa. E nada de vinho para encobrir seus negros pensamentos, mas livros atribuídos a Homero, tratados de Platão, e noites passadas a escrever ou a conversar com homens sábios, filósofos vindos de Atenas, de Rodes, de Alexandria, com os melhores médicos de Jerusalém ou de Antioquia e, entre eles, Oribásio, o mais sábio, conhecedor de todas as fibras do corpo humano, capaz de fazer reviver um doente dado como morto. Mas ninguém o tomou por Deus.

Julius Galvinius pára.

Estica os lábios numa expressão de desprezo. O rosto bem perto do de Antonius. Até parece que lhe vai cuspir na cara. Mas recua, vira as costas para o filho, anda para lá e para cá diante da chaminé. Toda vez que passa na frente da lareira, ele pára um instante a fim de contemplar as chamas que, assim, dão a impressão de envolver-lhe todo o corpo.

— Eu estou falando de um homem que usava a barba dos filósofos pagãos, estou falando do imperador Juliano, aquele que os bispos da sua seita chamavam Juliano, o Apóstata, porque renegou a fé cristã, a fé dos que assassinaram todos os membros da família dele. Apóstata! Ele que protegeu bispos perseguidos pelo imperador Constâncio que se mostraram fiéis às conclusões do Concílio de Nicéia! Como Hilário de Poitiers, que depois será amigo de Martinho, foi ajudado por Juliano e entretanto o condenou...

Julius Galvinius volta a se aproximar do filho.

— Até a lembrança desse homem perturba vocês. Vocês queimaram os três livros que ele dedicou aos galileus, à seita a que você pertence...

De indicador em riste, o ancião estende o braço para Antonius.

— No entanto, Juliano é que deveria ser seu santo homem! Os imperadores cristãos, Constantino, Constâncio II, entre outros, massacraram seus familiares e até seus próprios filhos. Foi Constâncio que mandou fechar os templos pagãos, que proibiu a magia, os sacrifícios, a superstição, a adivinhação, perseguiu todos os que se recusaram a se ajoelhar diante de Cristo. Constâncio mandou matar seus tios, seus primos, seus irmãos. Só poupou Juliano porque não o temia, pois imagina que um jovem leitor que vive como um eremita, que recusa as insígnias do poder, que não toma partido nas querelas de bispos e nas disputas de concílios, não constitui um rival.

Ele ri sarcástico.

— Nicenos, arianos, quem poderia encontrar o caminho ouvindo uns e outros? Dentre eles, o próprio Constâncio escolhe segundo seus interesses. Esse aí é um imperador cristão que tem sangue até os cotovelos e cultiva o ódio aos outros em nome do amor! Que diz você de tudo isso?

Ele encosta o indicador no peito de Antonius, com força.

— Juliano só escolhe a liberdade de cada um amar o deus que quiser. Mas é verdade que ele escreve contra os galileus, paga a reconstrução do Templo de Jerusalém em nome de Roma. Ele venera o *sol invictus*, Hélios rei, manda degolar touros à glória de Mitra e alimenta os soldados com a boa carne dos animais sacrificados. Ele, como Martinho, também ouve vozes, tem visões. Vê o gênio do Império avançar contra ele na luz ofuscante de um sol noturno. Ele também reza, mas aos deuses do Olimpo e do Capitólio. Ele conversa com eles. Fica várias horas imóvel, em êxtase. Que diz você de tudo isso? Que Juliano é igualmente um santo homem e os deuses que lhe falam também existem?

Julius Galvinius faz um gesto de desdém.

— Pois deveria! Mas vocês, galileus, não estão em busca de liberdade e de verdade. Vocês só amam sua própria mentira...

Ele se afasta, dá as costas para Antonius, contempla as chamas.

— Juliano, sim, combateu vocês com livros, não com perseguidores. Mas vocês preferiram o imperador Constâncio II, que mandou decapitar os cristãos, àquele que escreve contra os galileus e restabelece os cultos pagãos, que venera Cibele, mãe dos deuses, e é aclamado pelas legiões porque conquista vitórias sobre vitórias contra os alamanos, os burgúndios, os hunos, os vândalos, os francos, os sármatas. E porque, em Lutécia, quando os soldados o proclamaram Augusto e o ergueram de pé sobre um escudo humano, ele pareceu capaz de salvar o Império...

Julius Galvinius ergue os ombros.

— Mas quem se lembra dessas vitórias, de como ele conseguiu rechaçar os alamanos e os francos para além do Reno, de como ele entrou nas florestas e venceu em Worms...

Ele se interrompe, cospe no átrio, continua:

— Você crê que os deuses venerados por um tal homem não valham tanto quanto o deus a quem os imperadores cristãos, Constantino e Constancio II, oram?

— Eu lhe falava somente de Martinho — responde Antonius a meia voz.

Julius Galvinius o encara.

— Quanto a mim, eu lhe recordei a memória de um imperador que respeitava todas as crenças, o deus dos cristãos como os deuses de Atenas e de Roma, e até o dos judeus do qual o de vocês não passa de um bastardo sem forças, um deus de abdicação, pelo qual vocês se fantasiam com a covardia do nome amor...

Antonius se persigna. Não dizem que a cruz faz fugir o Diabo e os demônios? Mas Julius Galvinius continua mais irado ainda:

— Em Worms, na véspera da batalha, esse Martinho que você exalta recusou-se a combater invocando o nome do deus dele. Que nome você dá a um homem que abandona seu imperador e seus soldados diante dos bárbaros?

Galvinius dá alguns passos e lança como um cuspe:

— Um covarde! Um cristão!

QUATORZE

Antonius sente as faces arderem como se Julius Galvinius o tivesse esbofeteado. Tem a impressão de que uma ferida se abriu em seu peito, ali onde o pai pôs a ponta do dedo. Mas é todo o seu corpo que dói. As palavras ouvidas, suportadas, foram pregos enfiados em sua carne.

Ele junta as mãos, murmura:

— Senhor, será que nunca conseguirei ouvir a Tua voz, fazer com que a verdade sobre Martinho seja reconhecida?

Queria ajoelhar-se, rezar, mas sente que Julius Galvinius está de tocaia, à espreita de um sinal de fraqueza ou de dúvida.

Talvez ainda seja preciso que os que trazem a palavra de Deus sejam crucificados, como foi Cristo? Talvez seja a aceitação do sofrimento que dá ao verbo a força que arrebata, a que derruba as muralhas do erro e da mentira?

— Covardes, os cristãos? — protesta com voz forte.

Como Julius Galvinius, que leu Tácito, Plutarco e Sulpício Severo, e Amiano Marcelino, o mais recente de todos os historiadores, pode pronunciar essas palavras sacrílegas?

Antonius olha para o pai, que continua impassível. Não ousa dizer-lhe: "Que demônio fala por sua boca?"

— Covardes, os cristãos? — repete.

Cristo subiu o calvário. Ele foi o primeiro mártir. E quem não sabe que os cristãos, decapitados, queimados, crucificados, esquartejados, mutilados, degolados, entregues às feras com os corpos palpitantes e sangrando, seguiram o exemplo de Cristo e suportaram o sofrimento, na arena ou nas masmorras, sem renunciar a sua fé?

Antonius fala e suas feridas se fecham, a dor se dissipa.

Ele diz:

— São incontáveis os que morreram enlevados, os que clamaram antes de terem o pescoço cortado: "Eu te dou graças, Senhor Jesus, por me teres concedido ser libertado deste século!" E há também aqueles que, mesmo que não tenham sido mortos pela tortura ou pelo gládio, ofereceram suas vidas sem a menor hesitação.

Antonius caminha para Julius Galvinius e retoma o fio do relato:

— Assim agiu Martinho. Ele estava em Worms quando o imperador Juliano decidiu deflagrar batalha contra os bárbaros. Na véspera do combate, o imperador mandou montar uma tribuna. Posta-se entre duas mesas sobre as quais empilharam um monte de peças de ouro e de prata. Os cavaleiros da guarda imperial estão alinhados atrás dos estandartes; os centuriões e os tribunos representam as legiões. Juliano levanta o braço. Por ser respeitador das tradições, ele diz que vai chamar pelo nome cada soldado da cavalaria imperial, em seguida, cada centurião, cada tribuno, cada porta-estandarte, cada veterano. Que se adiantem para que ele ofereça a cada um uma peça de ouro ou de prata, com esse donativo ele testemunha seu orgulho e sua confiança nesse exército que venceu os bárbaros e amanhã há de pô-los em fuga, por terem ousado sair da floresta e vir acampar sob os muros de Worms. Os gritos roucos dos soldados aumentam e só diminuem no momento em que o tribuno militar lança o primeiro nome. O soldado se adianta e pára na frente do imperador que lhe estende o donativo.

"Chega a vez de Martinho. Ele caminha lentamente até a tribuna. A cada passo, afirma-se a determinação que sente desde que soube da intenção do imperador. Deve recusar esse donativo que o obrigaria a continuar dividido entre Deus e César. Agora que viu Deus e recebeu o batismo, não pode ser senão o soldado de Cristo. Mas também está oferecendo, bem o sabe, o pescoço à lâmina. Ele se inclina diante do imperador, porém não estende a mão para receber a peça de ouro. Enfrenta o olhar de Juliano.

"— Até então — diz ele — estive a teu serviço, César. Permite-me agora estar a serviço de Deus. Que aceite teu donativo aquele que tem a intenção de lutar. Mas eu sou soldado de Cristo; não tenho mais o direito de combater.

"A voz firme ressoa no silêncio da clareira onde os soldados estão reunidos. Martinho percebe o espanto e o temor desses homens que sabem que o imperador, com um gesto, pode ordenar que cortem a cabeça de quem o desafia diante das tropas. Entretanto, Martinho nunca sentiu uma tal sensação de paz e serenidade. Ele escolheu estar do lado de Deus. Esse é o seu campo. Ele já não conhece outro. Obedeceu a seu Senhor. Os olhos de Juliano estão cravados nele, mas Martinho não abaixa a cabeça.

"— Tu te escondes atrás de teu Deus... — começa o imperador.

"A fúria faz tremer-lhe a voz.

"— Tu viste os guerreiros bárbaros, e o brilho de suas armas te cegou — continua. — Sabes que amanhã nós os atacaremos. Temes ter de lutar, tu, oficial da minha guarda, tu, filho de veterano!

"Juliano estende o braço.

"— Vergonha sobre ti a quem o medo invade e que te serves de tua fé como de um escudo! Não nos farás acreditar, a nós que vamos terçar armas, que é por fidelidade a teu Deus que te desvias de teu dever, que cometes perjuro!

"Juliano dá um passo à frente, ameaçador. Será que vai ordenar a execução de Martinho ali mesmo nessa tribuna?

"— És traidor de teu imperador, traidor de tua promessa e traidor de Roma! — continua Juliano. — Tu és um covarde!

"Um rumor hostil eleva-se das fileiras dos soldados. Será que seus companheiros vão se atirar sobre Martinho e enfiar-lhe seus gládios?

"— Que seja feita a Tua vontade... — Martinho começa a murmurar.

"E de repente, outras palavras lhe vêm à boca:

"— Se imputam minha atitude à covardia e não à fé — diz ele —, amanhã ficarei na frente das linhas, sem armas, e, em nome de meu Senhor Jesus Cristo, sem escudo, sem capacete, marcharei para as linhas inimigas que se abrirão diante de mim. O sinal-da-cruz será minha única arma e minha única couraça.

"Novamente um silêncio de espanto.

"— Que ele mantenha a palavra! — grita Juliano após um instante de hesitação. — Que o aprisionem e, amanhã de manhã, seja exposto sem armas aos bárbaros.

"Dois centuriões se precipitam, seguram os braços de Martinho, arrastam-no para fora da clareira, empurram-no para dentro de uma tenda que lhe servirá de prisão. Homens armados montarão guarda.

"Martinho está só, com o espírito em paz. Ele se ajoelha e reza. O frio penetra na lona com a noite que cai e se adensa.

"— Que seja feita a Tua vontade, Senhor, assim na Terra como no Céu — repete.

"Ele está nas mãos de Deus. Submisso a Seu poder soberano. Não podia escolher outro caminho, pronunciar outras palavras. Deus o guiou, Deus lhe ditou o que deveria dizer. Por isso ele aguarda sem impaciência e sem medo.

"Ouve os barulhos do campo, as armas que se entrechocam. Os centuriões berram as ordens. Ao longe, os cavalos relincham. Já deve ser a alvorada. Ele não dormiu e a noite passou tão depressa quanto um dardo arremessado a toda velocidade. Abrem a tenda. Ordenam-lhe que saia. O sol nascente o ofusca.

"— Obrigado, meu Deus, pelo céu imaculado, por essa liberdade do ar, essa alegria que sacia o corpo como a água fresca quando se tem sede.

"Um centurião se aproxima. Está de cabeça nua e sem couraça.

"— Tua vida está salva" — sopra-lhe ele.

"Explica que os bárbaros enviaram um emissário para negociar a paz. Eles não querem combater, mas render-se ao imperador. Estão prontos a depor armas e equipagem.

"— A sorte está contigo — começa o centurião.

"Martinho se persigna.

"— Minha vida pertence a Deus — ele diz."

QUINZE

Antonius pára a alguns passos do leito onde Julius Galvinius acaba de se reclinar.

Ele espera que o pai o convide a ocupar de novo o leito em frente.

Ficou surpreso quando o pai, em vez de lhe responder, de ofendê-lo mesmo ou exprimir seu desdém, talvez o ódio, ergueu ligeiramente o braço e mostrou-lhe a mesa baixa entre os dois leitos, onde as escravas acabavam de depositar as taças, os pratos cheios de peixes, as ânforas, as frutas.

Era lânguido o gesto de Julius Galvinius, mas conseguiu parecer quase afetuoso e Antonius se comoveu. No entanto, também temeu uma cilada. O Diabo é experiente em astúcias. Sabe muito bem adornar-se com as vestes da virtude e até do amor!

Antonius hesitou, portanto, antes de acertar seus passos com os do pai.

No meio da êxedra, o ancião teve de parar. De repente, ele parecia não poder respirar. Levou as duas mãos à garganta como se tentasse afrouxar uma vestimenta muito apertada, incômoda, e afastou os panos da túnica, deixando visível o peito magro, os ossos que desenhavam as nervuras da morte sobre a pele esbranquiçada.

Ele se inclinou para a frente e Antonius fez menção de acudir, temendo que ele caísse, mas as escravas se precipitaram antes e, amparando o ancião, ajudaram-no a chegar ao leito e se deitar.

Então Julius Galvinius foi tomado por um acesso de tosse que o forçou a se reerguer, o peito côncavo, as mãos cruzadas sobre os ombros como se tentasse juntá-los, prender o tênue fôlego que se evadia.

Em seguida, ele começou a respirar calmamente, mas o rosto estava lívido, os olhos semicerrados.

Antonius teve a impressão de que o pai esquecera sua presença; por isso não se mexeu.

Mas logo o ancião murmura algumas palavras e afaga o dorso de uma escrava que se vira para Antonius, indicando-lhe o outro leito.

Antonius acomoda-se no leito.

Ele segue com os olhos os dedos afilados da escrava. As unhas nacaradas separam com rápidos e pequenos gestos as escamas e as espinhas da carne dos peixes. Ela se vira para Antonius. Ele vê a curva de seus ombros e, quando ela lhe oferece o prato, ele vislumbra a forma dos seios. Desejaria levantar-se dali, correr, ajoelhar-se na terra batida de seu quarto. Agora não tem dúvida de ter caído numa esparrela. O Diabo ainda está escondido atrás do rosto e da voz de Julius Galvinius.

— Afirmam — começa Julius sorrindo — que o peixe é o sinal de identificação de vocês cristãos. Mas era no tempo antigo, quando os imperadores desconfiavam de vocês e o Império dominava o mundo.

Ele fala devagar, parando para mastigar, a voz velada de amargura.

— Hoje, os estandartes das legiões exibem o crisma, o sinal de Jesus Cristo, o deus de vocês.

Ele dá de ombros, ergue o braço com um gesto de cansaço.

— Por que não, se isso trouxesse a vitória? Mas Roma era mais forte e mais briosa quando se faziam sacrifícios às glórias de Apolo e de Mitra!

Ele faz um gesto para impedir que Antonius responda.

— Eu ouvi você — continua. — Você se excedeu na arte da mentira, vocês, cristãos, transformam um soldado que deserda em herói de Roma, e ainda seria graças a ele que os bárbaros se recusaram a combater e se renderam...

Ele deixa o queixo cair sobre o peito.

Diz que se ainda tivesse forças estouraria de tanto rir, mas esta noite ele precisa poupar o fôlego.

— Se seu deus, para salvar a vida de Martinho, fez os bárbaros capitularem, você pode me dizer que deuses permitiram que Júlio César conquistasse a Gália, conseguisse que tantas tribos gaulesas, da Bretanha ao Reno, se submetessem, enviassem parlamentares, como os alamanos fizeram com Juliano em Worms, e lhe entregassem as armas, as carroças, os reféns, as mulheres e os filhos dos chefes? Os deuses de Roma tanto guiaram César, tanto o ajudaram a vencer, a conquistar, a assimilar, que nós mesmos não reconhecemos mais a língua de nossos ancestrais!

Galvinius pede a uma escrava que lhe encha a taça de vinho e, quando ela a entrega, ele puxa a moça para junto de si, enfia a mão esquerda por entre as pregas dos véus que mal cobrem o corpo jovem e bebe lentamente. Antonius fecha os olhos.

— E você queria que eu venerasse seu deus por causa de uma batalha que não aconteceu, ao passo que Roma, durante quarenta lustros, declarou e ganhou centenas de batalhas do Eufrates ao Reno, do Danúbio ao oceano? E de tal maneira que os deuses de Roma e de Atenas reinavam por toda parte...

Sua voz treme, está fraca como se o fôlego realmente lhe faltasse.

Continua falando, mas ainda mais baixo, interrompendo-se freqüentemente para beber ou mastigar um pouco de peixe. Afastou a escrava que continua ajoelhada junto dele; seus cabelos desfeitos cobrem-lhe as formas suaves e largas das costas.

— Segundo sua seita, Juliano era apóstata. Mas ele venceu os bárbaros! Batizados, os sucessores dele, Teodósio, Átalo, são cristãos. Glória a eles, dirá você? Mas, e os imperadores vencidos pelos bárbaros, godos e visigodos, que também carregam a cruz?

Ele balança a cabeça.

— O seu Cristo triunfa sobre as ruínas de Roma e o cadáver do Império!

Ele faz um esgar. Enumera as derrotas, Roma saqueada, os bárbaros irrompendo como um rio de lama em toda a Gália, até mesmo aqui, neste domínio narbonense.

— Como poderia eu, Julius Galvinius, reconhecer um deus que destrói o Império do mundo, apaga até a lembrança de Homero e de Platão, de Aristóteles e de Marco Aurélio, de Tucídides e de Plutarco, e os substitui pelos escritos de um Sulpício Severo ou um Hilário de Poitiers?

Seu corpo é sacudido por um acesso de tosse que ele tenta transformar em riso.

— E em vez das discussões entre os filósofos gregos — continua ele — ouvimos os bispos baterem boca como velhas para saber se devem seguir Ário e seu deus de uma única face ou Hilário e sua trindade. Arianos contra nicenos! Que bela disputa!

Ele se ergue um pouco, apóia-se no cotovelo direito e inclina-se para Martinho.

— Prefiro Platão e Aristóteles. Quem os conhece ainda hoje? Ouvimos Hilário de Poitiers que sei ter sido o mestre desse Martinho cuja coragem você exalta. Mas esse mesmo Martinho não passava de um soldado que se esquivou do combate, um bárbaro que não sabia grego! É verdade que Hilário diz e escreve: "A fé sólida rejeita os falsos problemas da filosofia."

Com o costumeiro gesto da mão direita, como se quisesse afastar um inseto, ele faz Antonius entender que no momento deseja ficar só.

— Vá para sua cama de escravo — murmura.

Ele fala sem raiva.

No mesmo instante em que o rapaz se levanta, o pai também se ergue.

— Não podemos julgar os deuses — diz com o indicador em riste. — Quem já os viu, quem os conhece a não ser em sonho? O imperador Juliano falou com os deuses dele, que eram os de Roma. Martinho teve a visão de seu próprio senhor. Eu não vi os de Roma nem esse outro. Mas — ele eleva o tom de voz — julgamos os deuses pela ação e pela qualidade dos homens que os cultuam. Lembre-se disso, Antonius: os homens, os homens, sempre os homens!

Ele se dobra enquanto um novo acesso de tosse lhe maltrata o peito.

TERCEIRA PARTE

DEZESSEIS

De olhos baixos, Antonius atravessa o peristilo o mais depressa possível, em largas passadas.

Ele olha somente para o piso de mármore do pátio interno. Quer ouvir apenas o barulho da água que jorra da fonte.

Mas distingue, adivinha gritinhos, risos, vozes estrepitosas, arrulhos, toda essa agitação de corpos que, a contragosto, ele imagina misturados. Esse deboche acontece nos quartos situados no lado direito da colunata.

Precisa afastar-se.

— Os homens... — disse e repetiu Julius Galvinius.

Mas o que é um homem quando sua boca não passa de um focinho, uma beiçola ávida de prazer? Se suas mãos não passam de patas que procuram reter um corpo aprisionado ao seu, como fazem os cães?

Agora Antonius percorre as salas que circundam o átrio.

Lâmpadas a óleo clareiam os afrescos que ele não quer ver. Mas conhece. Esmiuçou-os muitas vezes na adolescência, quando também ele foi invadido pelo desejo. As formas opulentas das mulheres, a pele rosada, a carne cheia, as coxas afastadas por entre as quais se metiam faunos no cio, o fascinavam.

Homem? Ele era a presa do Demônio!

Ele chega finalmente aos alojamentos reservados aos escravos. O odor de chiqueiro e de suor o invade. Mas esta noite reina o silêncio, perturbado apenas por uma tosse, um latido aqui e ali.

Entra no compartimento que lhe serve de quarto, de cela ou, melhor, de gruta.

— Os homens, lembre-se dos homens... — insistiu Julius Galvinius.

Antonius ajoelha na terra batida, sente as pedras ásperas ferirem sua carne. A dor que experimenta é como a correnteza de um rio que arrasta as madeiras mortas tanto mais depressa, quanto mais forte ela é.

O fluxo purificador do sofrimento limpa o homem, torna-o digno de Deus, que o fez à imagem de Jesus Cristo.

Não são o mármore, nem a lama do chão do quarto em que ele vive, nem a lã fina ou os trapos com que ele envolve o corpo, nem a riqueza que possui ou a pobreza que o tortura que fazem um homem. Ele não passa de um animal, mais vil até do que um porco, se chega a esquecer que Deus o fez para que procure se elevar até Ele.

Só assim ele conhece o júbilo.

Foi isso, Antonius sabe, que tomou conta de Martinho.

Martinho cavalga ao longo da estrada romana que vai de Worms a Lutécia, depois a Poitiers, uma das maiores cidades da Gália.

Não sente cansaço algum, apesar da poeira e do calor. À noite, ele puxa seu cavalo até uma árvore e deita-se na relva espessa e macia. Procura freqüentemente um solo mais duro, uma terra pedregosa, para não esquecer que tanto a miséria como a satisfação são igualmente deste mundo.

Antes de deixar o acampamento, ele viu os soldados tirarem crianças bárbaras de suas mães para levá-las com eles como escravas, serviçais e reféns.

Ele se adiantou para impedir, mas o tribuno da guarda imperial intimou-o a partir imediatamente. Em sua grande clemência, o César Juliano concedera-lhe a vida, uma vez que os bárbaros foram vencidos sem combate, mas não toleraria nenhum outro desafio.

Que Martinho agradeça a Juliano, o Justo, e se vá com o que lhe pertence: sua arma, suas vestimentas, sua montaria.

Os soldados afastaram-se a sua passagem. Alguns o insultaram, outros o ridicularizaram, mas a maioria ficou calada, seguindo-o com um olhar de espanto. Outros, geralmente godos ou visigodos engajados nas fileiras das legiões, chegaram a se persignar.

O Cristo agora está presente em todo lugar onde há homens.

Essa certeza foi a primeira alegria de Martinho.

Depois, vêm os dias radiosos, esta terra que primeiro se abriu para as semeaduras e agora está pronta para as colheitas.

O frio terminou. Os trigos estão maduros.

Os camponeses o saúdam, mas a maioria lhe vira as costas quando ele faz o sinal-da-cruz. No campo, uma torre, um pinheiro plantado no meio da planície, uma construção sólida para onde homens e mulheres se dirigem carregando uma estátua, salmodiando, fazem lembrar com freqüência que os falsos deuses, as divindades pagãs, ainda reinam, e os gauleses os cultuam. Será preciso levar-lhes a Palavra, combater suas crenças, destruir seus templos, seus santuários, seus ídolos, arrancar essas árvores que eles acreditam sagradas.

Martinho, soldado de Cristo, está engajado nessa batalha. É por isso que ele se dirige a Poitiers ao encontro de Hilário.

Várias vezes, enquanto montava guarda ao redor da tenda de Juliano, ele ouvira os amigos do César mencionarem a personalidade desse bispo.

O imperador Constâncio II, que massacrou a própria família, rival de Juliano, perseguia Hilário e estava pronto para exilá-lo, condenando nele o bispo gaulês que recusava submeter-se aos preceitos de Ário e se mantinha fiel às conclusões do Concílio de Nicéia: um deus em três pessoas.

Martinho ouvira Juliano rir dessas querelas e frisar que Hilário, não importa o que se pense de seu deus, era um homem de coragem, fiel a sua fé e que acolhia os que eram perseguidos por Constantino.

Escolher o cristão que ama e não o que mata, pensara Martinho.

Ele cavalga, pois, em direção a Poitiers.

Lá se vão doze dias que pegou a estrada. Agora, ele margeia o grande rio Loire.

Sua alegria é mais viva ainda e também mais branda, em harmonia com essas margens, essas colinas cobertas de vinhas, a graça dessa paisagem tranqüila.

Ele atravessa o portão da cidade. Ninguém lhe dá atenção. Por entre as casas de pedra branca, a multidão é compacta, ruidosa, animada. No final de uma rua erguem-se os muros de um enorme anfiteatro. Os jogos cruéis ainda continuam ali, ou será que Hilário e os cristãos conseguiram proibir os combates de gladiadores como exigiam os novos decretos do imperador? O anfiteatro está em silêncio, Martinho o contorna e descobre, não muito longe, uma igreja pegada a uma casa baixa.

É ali que Hilário, bispo de Poitiers, deve morar.

Ele entra. O murmúrio das vozes na penumbra parece com o da água que jorra de uma fonte. Os fiéis se ajoelham, lâmpadas a óleo iluminam o altar.

O homem que oficia é o próprio Hilário.

Martinho se ajoelha perto dele, que não demonstra surpresa.

— Vim a tua procura — sussurra Martinho. — Eu era soldado do exército de Juliano. Sou cristão no exército de Cristo.

— Eu esperava alguém, pois preciso partir — responde Hilário. — És tu, portanto.

DEZESSETE

Antonius Galvinius caminha ao lado do pai por entre as touceiras de aloendros na alameda que leva ao renque de ciprestes, no fim do jardim.

Ele observa o ancião, disfarçadamente.

O pai caminha devagar, o tronco inclinado para a frente, as mãos nas costas. Sua respiração está tranqüila. Não tosse mais. Entretanto, pára com freqüência como para recuperar o fôlego. Olha ao redor, empertigando-se um pouco.

Antonius tem a impressão de que o ancião o escuta com benevolência.

Quem sabe esse dia de outubro, ameno e dourado como um fruto maduro antes de cair do galho e quem sabe esse aroma de maçã e de uva prensada que deixa o ar com um sabor adocicado farão Julius Galvinius descobrir a beleza da criação, a grandeza de Deus?

Antonius tem a convicção de que não deve deixar escapar este momento propício, que deve falar novamente. Ele espera que o pai volte a caminhar e retoma o fio da narrativa.

— Em Poitiers... — começa.

Ele fecha os olhos. Esquece os aloendros e até a presença de Julius Galvinius.

Está vendo Martinho sentado no quarto de paredes brancas que Hilário ocupa na pequena casa pegada à igreja.

O bispo de Poitiers apóia-se com as duas mãos na escrivaninha. É um homem alto e magro, um pouco encurvado. Martinho pensa que bastaria um empurrão de um bárbaro ou de um centurião para jogá-lo no chão. Mas a voz de Hilário é forte, os gestos são ágeis. Um sentimento de poder emana desse homem.

Aproxima-se de Martinho. Diz que quer confiar-lhe um cargo de diácono no episcopado. Ele precisa deixar Poitiers. Foi condenado ao exílio. Os bispos favoráveis às idéias de Ário aliaram-se contra ele. Mas é uma provação bem-vinda. Deve obedecer à escolha de Deus.

Antonius pára de falar, vira-se para Julius Galvinius, que tem o olhar fixo nele. Hesita em prosseguir. Teme mais um súbito acesso de cólera do pai, essa violência que o cega, que o domina, que é o turbilhão do Diabo.

Mas o ancião sorri, sacode a cabeça, parece convidar o filho a continuar. Quem sabe os demônios abandonaram a presa?

— Martinho recusou todos os cargos — recomeça Antonius em voz baixa. — Aos apelos de Hilário, viu-se obrigado a responder, antes de tudo, que não passava de um soldado de Cristo, não sabia o grego e mal lia o latim. Que passou a usar o capacete e a clâmide aos 15 anos de idade. Marchou e cavalgou em todos os climas, na tempestade e no calor do sol. Mas não leu um livro sequer.

"Martinho levanta-se, vai até a escrivaninha. Passa a palma da mão no manuscrito coberto por uma escrita cerrada e vira-se para Hilário. Diz que não passa de um ignorante. Nesses escritos, o bispo comenta o Evangelho de Mateus, evoca a Trindade ou Constantino, o Grande. Ele, Martinho, contenta-se em rezar. Agora que depôs o capacete e o gládio, deseja refugiar-se longe dos homens, no meio da floresta ou em pleno deserto, ou meter-se numa gruta a fim de se consumir no amor de Deus.

"— Eu só sei rezar — repete.

"Hilário pede que ele se sente de novo e instala-se ao lado, no banco estreito diante da escrivaninha. Segura as mãos de Martinho entre as suas. Faz-lhe ver que são tantos os homens que conhecem o grego e o latim, tantos os que conhecem os pensamentos dos filósofos e tantos os que têm a mente ágil e são capazes de jogar com as idéias... Hilário cala-se por um instante, quando recomeça, sua voz treme:

"— Mas são tão poucos os homens tomados pela fé! Pois a verdade de Deus não se deixa aprisionar na filosofia. Ela deve ser a carne do crente. Ela é prece e emoção. É corpo e espírito. Só os que a vivem assim são soldados de Cristo. Só eles são capazes de combater por Ele.

"Levanta-se, convida Martinho a se ajoelhar e impõem-lhe as mãos sobre a cabeça. Declara que Martinho combaterá o Diabo como um soldado, que o expulsará dos que se deixaram possuir por ele. Que aprenderá as preces dos exorcistas e saberá como tocar os corpos tomados pelo Demônio a fim de libertá-los.

"O bispo acrescenta que existe, porém, um outro inimigo, aliado do Diabo e tão sorrateiro quanto ele. Chama-se a ignorância de Deus, a recusa ao batismo, a devoção às falsas divindades, a prática de sacrifícios aos antigos deuses de Roma.

"Então Hilário apóia as mãos com tanta força que Martinho é obrigado a inclinar a cabeça e submeter-se.

"— Tua tarefa é combatê-los! — exclama o bispo.

"E em voz mais baixa, ele deixa escapar num sussurro:

"— Vai, vai instruir todas as nações, batiza-as em nome do Pai, do Filho e do Espírito Santo!"

* * *

Antonius tropeça. Ele caminhou como um cego.

Vira-se. O pai não está mais a seu lado.

Avista-o sentado lá atrás num banco de pedra, beijando, com um lento movimento dos lábios, um buquê de flores de aloendro que de vez em quando leva às narinas para embriagar-se de seu perfume.

DEZOITO

Antonius faz o caminho de volta. Ao se aproximar de Julius Galvinius, tem a impressão de que o homem sentado no banco, com as flores na mão, não é mais o mesmo que há pouco caminhava a seu lado pela alameda.

A expressão benevolente sumiu de seu rosto. A boca meio escondida pelas pétalas que ele aspira e os olhos semicerrados estão circundados de profundas rugas de desprezo.

Antonius pára. Foi vítima de uma artimanha do Diabo, que voltou a aparecer rodeado de demônios, agora que o céu dourado se sombreou e as nuvens de reflexos cinzentos e vermelhos cobrem o campo pouco a pouco, formando uma larga faixa escura sobre os ciprestes.

Ele não conseguiu exorcizar Julius Galvinius, libertar o corpo de seu pai da possessão infernal. Não bastou a evocação da vida de Martinho.

Antonius persigna-se, enquanto o ancião dá de ombros com um movimento nervoso.

Estende ao filho as flores de aloendro e, como Antonius não se mexe, ele as atira de tal maneira que atingem o rosto do rapaz.

Levanta-se, vira as costas para o filho e se dirige para a vila.

— Não me dei ao trabalho de escutá-lo. Você não me ensina nada que eu já não tenha ouvido ou lido.

Ele arranca a corola de um aloendro, cheira-a e sacode a cabeça.

— Quando você, Hilário, Martinho e todos os de sua seita tomam a palavra, estão ignorando o prazer. Quem de vocês canta o simples perfume de uma flor? O dos aloendros embriaga porque é adocicado, obsedante. Mas vocês não conhecem a embriaguez, nem a da mente nem a do corpo. O que quer Martinho? Ignorar o mundo, mergulhar na prece no fundo de uma gruta, na densidão de uma floresta ou na fornalha do deserto.

Julius Galvinius pára e ridiculariza:

— Que singular homenagem a seu deus que, nesse caso, teria criado os homens e as árvores, as flores, o oceano, as mulheres para que os ignoremos, para que só aspiremos a morrer!

Levanta o braço acima da cabeça. As pregas da túnica escorregam sobre seus ombros, deixando ver os braços descarnados.

— Sofrer, viver como eremita, como asceta para transformar o corpo em algo destituído de vida o mais rapidamente possível: aí está o preceito da religião de vocês!

Ele leva as mãos ao peito encovado, ao pescoço flácido.

— Estupidez! Como se a pele não se transformasse tão depressa em um invólucro enrugado, como se o sofrimento não estivesse sempre a nossa espreita, pronto a mostrar suas garras!

Espera que Antonius se aproxime e o observa demoradamente.

— Antigamente você era um rapazinho forte, de tronco musculoso, braços com os bíceps salientes. Agora não passa de homem tão enfraquecido quanto eu. E tudo isso por quê? Por ter rejeitado o ensinamento dos gregos, preferido os lamentos e a dor ao pensamento!

De repente, de queixo estirado para a frente, lábios contraídos, seu rosto se crispa.

— Sua seita não é feita de amor, mas de ódio ao prazer, aversão à vida e ao espírito do homem. E, portanto, também à grandeza de Roma, herdeira de Atenas.

Ele agarra o braço de Antonius e o aperta.

— Para você, eu sou o Diabo, bem sei. Você me teme porque sou livre na minha cabeça, assim como no meu corpo. E vocês, vocês só querem escravos submissos. O que vocês chamam de Demônio é o espírito de liberdade. Vocês querem que tudo se curve a sua lei.

Solta o braço do filho.

— No tempo em que Roma era orgulhosa, poderosa e livre, não teriam concedido a Martinho a honra de morrer na arena como gladiador! Ele teria sido degolado ou estrangulado num subterrâneo e seu cadáver seria jogado às feras. Mas Roma está derrotada, aviltada, e meu filho, Antonius Galvinius, se compraz com a vida desse soldado inculto. Meu próprio filho é cristão!

Ele fica imóvel sob os degraus que levam ao terraço.

— Felizmente, a morte me espera — murmura. — Logo não verei nem ouvirei mais nada.

DEZENOVE

Deitado, Antonius tirita. Uma chuva espessa cai desde o fim da tarde. Ele escuta as pancadas da água nas bordas do telhado, o gorgolejo nas calhas que circundam o pátio lamacento entre os alojamentos dos escravos.

Subitamente, parece-lhe ouvir uma voz forte dizer:

— Aonde quer que vás e o que quer que tentes, encontrarás o Diabo diante de ti!

Ele conhece essa frase. Levanta-se. Sente frio. Abre a porta. Imediatamente a tempestade bate em seu rosto, enquanto a voz, mais distinta ainda, repete as mesmas palavras:

— Aonde quer que vás e o que quer que tentes, encontrarás o Diabo diante de ti!

Ele dá alguns passos, procurando enxergar apesar da densa escuridão que banha o pátio.

Sombras correm de um alojamento a outro. Homens ou cães, mulheres, demônios ou porcos? Como saber?

Fica imóvel sob a chuva.

E recorda

Martinho deixou Poitiers pouco depois de Hilário. Cruzou a Gália, seguindo os rios a montante até que uma ponte lhe permitisse atravessá-los. A cada passo, acusava-se de ter abandonado a comunidade cristã de Poitiers que Hilário lhe confiara e o encarregara de perseguir o Diabo, exorcizar esses infelizes que freqüentemente se encontram na porta da igreja, gesticulando, contorcendo-se no chão, soltando gritos estridentes, com uma espuma rosada cobrindo-lhes a boca.

Ele havia recitado as preces, imposto as mãos sobre eles, imobilizado suas pernas e braços, e o possesso às vezes se acalmava, geralmente chorando ou fugindo com as mãos na cabeça.

Mas Martinho sentiu que tinha algo melhor a fazer. Pois não era preciso instruir todas as nações e batizar em nome do Pai, do Filho e do Espírito Santo?

Uma noite, Martinho levantou-se num pulo, deixando o banco em que dormia coberto apenas por um pano ralo de lã áspera.

Uma voz lhe falava.

Ordenava lhe que fosse instruir e batizar sua família, seu pai e sua mãe, que estavam morando novamente em Sabaria, a cidade da Panônia onde ele passara a infância.

Martinho apressou-se em pegar a estrada e, enquanto caminhava, pensava nas muralhas de Sabaria, nas ruelas da cidade, nas colinas dos arredores e também na estrada que beira o Danúbio, onde se ergue o *limes*.

Caminhou o mais rápido que pôde, imaginando que seu exemplo seria suficiente para converter os pais e que saberia falar a todos os habitantes de Sabaria, aos camponeses de Panônia.

Seria o apóstolo deles.

* * *

Ele atravessou rios, galgou montes, viu o sol se levantar sobre Lugdunum* e percorreu as ruas da cidade, onde ressoavam as batidas das forjas, o rangido das máquinas de fiar e o ritmo dos teares.

Entrou no anfiteatro invadido pelo mato alto. As arquibancadas estavam desertas, mas ele imaginou os berros da multidão quando os cristãos destinados ao martírio surgiam na arena, em seguida os leões e os touros que cravavam os caninos ou os chifres nos corpos de Potino, de Ireneu, de Blandina...

Ele se ajoelhou e rezou.

Em seguida retomou seu caminho, entrando pelos vales encimados pelos picos dos Alpes. Parava com mais freqüência para recobrar o fôlego, ora porque a estrada pavimentada subia em direção a um desfiladeiro, ora porque os santuários pagãos se tornavam mais numerosos. Viu longas fileiras de camponeses que carregavam estátuas e oferendas em intenção dessas divindades anteriores a Cristo. E ele fez o juramento de tirar da escuridão esses homens, essas mulheres e essas crianças, a fim de lhes revelar a Luz, de abrir os olhos de todos esses cegos.

Tentou falar a alguns que se preparavam para degolar um touro, mas eles o rechaçaram, atirando-lhe pedras. O momento ainda não havia chegado.

Ele chega enfim ao último desfiladeiro e vê, embaixo da outra vertente, a planície e o rio sobre os quais corriam camadas de nevoeiro.

Levantou a cabeça e avistou uma coluna erigida perto da estrada, em cujo topo se erguia, imensa, uma cabeça de Júpiter. Ele deveria derrubá-la.

O vento soprava forte varrendo o desfiladeiro, e Martinho viu homens enormes com o torso coberto por pele de urso se aproximarem como que arrastados pelo vendaval. Um deles trazia um grande machado nos ombros.

Martinho experimenta, de imediato, um profundo sentimento de paz, como se qualquer traço da fadiga provocada pela subida do desfiladeiro

---

* Lyon.

tivesse desaparecido. Sentiu-se disposto, feliz. Ali estava a prova que Deus colocava em seu caminho. Devia entregar-se à vontade divina. Devia mostrar que não temia os homens, porque era crente.

Sorriu, pois, ao ver chegarem esses saqueadores, esses larápios, esses rapinantes, esses renegados que vivem na vadiagem e formam bandos de salteadores que tocaiam viajantes e mercadores.

Os homens o cercaram. Os rostos cobertos de cicatrizes, estropiados. Uns eram caolhos, outros tinham o nariz ou as orelhas mutiladas. Mais grunhiam que falavam, estendendo as mãos para tirar o saco e o manto de Martinho. Mas, antes mesmo que os agarrassem, Martinho os ofereceu a eles. Pareceram estupefatos com essa atitude.

Aproximaram-se ainda mais. Suas carrancas contra o rosto de Martinho, os ombros musculosos pressionando seu corpo frágil.

Com certeza esperavam que Martinho implorasse de joelhos, que pedisse clemência, rogasse piedade.

Ele disse simplesmente:

— Eu rezo por vós.

Persignou-se e deixou que o maltratassem.

Teve a sensação de ser um pedaço de pau que nenhuma tempestade consegue afundar e continua a flutuar na crista das ondas mais altas.

Ele estava na mão de Deus.

Se a morte devesse atingi-lo, ela seria bem-vinda, e Deus reconheceria esse soldado que Ele chamava para junto de Si.

Se, pelo contrário, sua vida devesse prosseguir, significaria que Deus queria que ele continuasse a combater por Ele.

De repente, por ordem do que carregava o machado, os homens se afastaram. Martinho viu o fio da lâmina erguer-se sobre sua cabeça e procurou olhar nos olhos da besta-fera que se preparava para matá-lo.

Murmurou: "Eu te perdôo", e o fato de haver pronunciado essas simples palavras fez nascer dentro dele uma intensa alegria. Teve a impressão de que todo o seu rosto, todo o seu corpo sorriam. Agradeceu a Deus por ter-lhe dado a coragem de esperar a morte sem temor.

Mas o machado não desceu.

Um dos homens reteve o braço do que queria golpear. Os companheiros o puxaram e Martinho viu-o afastar-se resmungando, o machado no ombro, vulto alto que pouco depois desapareceu por trás das aluviões.

Amarraram os pulsos de Martinho e o confiaram a um jovem cuja barba mal dissimulava uma cicatriz que lhe cortava a face da orelha à boca. Sentou-se diante de Martinho, ao abrigo do vento, à beira de um pequeno lago de água escura onde se refletiam as nuvens em movimento.

— Quem és tu? — perguntou, inclinando-se para o prisioneiro.

A voz e a fisionomia exprimiam uma curiosidade ansiosa. O rosto estava tão perto do de Martinho que parecia querer cheirá-lo.

— A maioria dos homens implora e treme — continuou. — Basta mostrar o machado que eles oferecem tudo o que possuem. Oferecem até as mulheres e filhas! Tu...

Recuou como se de repente sentisse medo dessa vítima singular.

— Eu sou cristão — murmurou Martinho. — Quero o amor entre os homens.

Estendeu os punhos para que o homem os desamarrasse. Não duvidou um instante sequer de que ele o faria. E de fato, após uma breve hesitação, o homem desatou os nós.

Martinho sorriu, confiante de que Deus o submetera a essa prova e o deixara com vida para que ele levasse a Palavra a este homem.

— Eu sou cristão e tu és meu irmão — disse.

O homem sacudiu a cabeça sem lhe tirar os olhos de cima.

— Deus me pôs em tuas mãos — prosseguiu Martinho —, mas Ele me protegeu. Confiou-me a ti para que eu conte a boa notícia. Ouve-me!

Martinho falou até o cair da noite, depois, quando desabou um temporal, o homem levou-o para uma gruta e acendeu uma fogueira.

Enquanto soprava as chamas que custavam a surgir, não parava de olhar para Martinho como se procurasse em seus olhos, em seu rosto, uma resposta às perguntas que se fazia.

Quando o fogo começou a crepitar, sentou-se ao lado de Martinho e envolveu os joelhos com os braços.

— Fala mais — disse com voz quase suplicante.

Martinho pôs a mão no ombro dele. Tinha a impressão de que esse homem, como todos os que ainda não encontraram a fé em Jesus Cristo, era uma criança que precisava ser guiada.

"Agora, instruí todas as nações, batizai-as em nome do Pai, do Filho e do Espírito Santo", dissera o Cristo aos apóstolos, e Martinho pensou em todos os campos que percorreu, nas colinas e montanhas que galgou, nas cidades que atravessou desde que saiu de Poitiers.

Os cristãos eram como buquês de árvores em flor numa vasta extensão de mato bravo.

Essa era a situação que Martinho queria mudar, à medida que Deus lhe desse forças.

Que desmoronem os templos e os santuários pagãos, que sejam derrubadas as colunas erguidas à glória de Júpiter, de Marte ou de Apolo! E que uma floresta de cruzes se estenda por toda parte.

Martinho persignou-se, e o homem de novo se inclinou para ele.

— Ensina-me — implorou.

Martinho segurou as mãos dele. Deus o conquistara! Convidou o homem a sentar-se a seu lado e repetir as palavras da prece: "Pai Nosso que estais no Céu..."

Mais tarde, quando surgiu o primeiro alvor da manhã, ele pediu que o homem o levasse até o lago.

O denso nevoeiro que envolvia os cumes escondia os blocos de pedra que pavimentavam a estrada, mas, quando Martinho e o homem alcançaram a beira do lago, a luz começou a transparecer sem que o sol já estivesse visível, de tal maneira que uma poeira prateada parecia difundir-se no ar.

— A partir de hoje, tornas-te meu irmão em Jesus Cristo — disse Martinho enquanto apanhava a água gelada nas mãos em concha e a aspergia no homem.

E de novo eles se ajoelharam lado a lado.

O vento soprou e começou a afastar a bruma.

* * *

O homem acompanhou Martinho até o lugar em que a estrada alcança a planície. E Martinho, ao ver o homem se afastar e subir em direção ao desfiladeiro, sentiu uma intensa alegria.

Teve a certeza de que Deus o havia escolhido, que mantinha uma ligação particular com ele, Martinho. Deus não lhe aparecera em Amiens depois que repartira seu manto? E, hoje, não acabava de lhe revelar a força que lhe fora dada para instruir e batizar?

Martinho agradeceu ao Altíssimo e teve a impressão de que todo o cansaço dos dias de dúvida se havia dissipado. Suas pernas estavam lépidas, o fôlego longo, a fome e a sede não o importunavam mais.

Dirigiu-se a toda pressa para Panônia, por entre as fileiras de choupos-brancos, através de um campo bem cuidado onde se erguiam aqui e ali túmulos de cônsules, de tribunos e até de imperadores. Ele se afligiu com a memória pagã que devia apagar para construir, no lugar dela, monumentos à glória dos mártires cristãos.

Às vezes, acontecia-lhe encontrar uma pequena igreja semelhante a uma fonte de frescor. Dentro, alguns cristãos rezavam na penumbra.

Em Pavia, ele se deu a conhecer e os mais antigos da comunidade lembraram-se da criança de dez anos que rezava com eles e sonhava viver como eremita, só, entre o céu e a terra.

Na estrada, depois de deixar Pavia, ele viu um homem de grande estatura, porte imponente, que vinha a passos largos em sua direção.

O homem se posicionou de tal maneira que obrigou Martinho a parar. Uma cabeça mais alto, ele encarava Martinho com arrogância e até com um certo desprezo.

— Aonde vais? — perguntou.

A voz era imperiosa, seca como o estalo de um chicote.

Martinho não abaixou os olhos.

Só Deus podia lhe dar ordem.

Respondeu que ia aonde o Senhor o chamava.

O homem deu uma risadinha sarcástica, o corpo sacudido por uma brusca tremedeira, e começou a gritar, o rosto tomado de cólera:

— Aonde quer que vás e o que quer que tentes, encontrarás o Diabo diante de ti!

VINTE

Julius Galvinius sentou-se na mureta que contorna o espaço quadrado do átrio.

Com um lento gesto do braço direito, ele cobre as pernas com os panos de sua túnica. Sente frio.

Ignorando Antonius de pé a seu lado, ele levanta os olhos e, pela abertura do telhado, observa as nuvens baixas que o vento às vezes esgarça. Chove. A tempestade cai nas telhas e escorre em pancadas surdas na bacia da fonte no centro do pátio. Depois, a água transborda, entra nas canalizações e parece que a terra gorgoleja sob os ladrilhos de mármore.

Enfim, Julius Galvinius vira a cabeça para Antonius; faz um trejeito com os lábios exprimindo dúvida e ironia.

— De modo que numa estrada da Cisalpina — diz ele —, Martinho encontrou um homem...

E ri em silêncio, sacode a cabeça.

— O Diabo em pessoa, encarnado como vosso deus!

Levanta-se, anda em torno do pátio sempre falando com voz cada vez mais alta para sobrepujar o barulho da chuva e o ruído da água que transborda da bacia.

— A religião de vocês não difere em nada de uma luta de gladiadores: Deus contra o Diabo!

Ri irônico. Diz que não compreende: se Deus é Todo-Poderoso, se Deus é todo amor, por que ele não vence definitivamente o Diabo, aniquila o Mal e instaura o império do Bem?

Ele cruza os braços, pára do outro lado do pátio e mostra a Antonius um nicho que abriga uma estátua de César como se fosse o deus Marte.

— Mas talvez — continua — o deus dos cristãos queira distrair o povo, oferecendo-lhe combates na arena, como os imperadores? O judeu contra o núbio, o branco contra o negro. Martinho contra o Diabo...

Ele bate palmas, e o som ecoa na galeria, amplificando-se até abafar o rumor da água.

Com a mão fechada, aponta o polegar para o chão.

— O Diabo deve ser condenado à morte — diz ele representando, e vira o polegar para cima —, mas Cristo o faz renascer, e os jogos recomeçam!

Aplaude outra vez, batendo palmas com força.

— Quem pode acreditar nessa fábula? Quando arrastavam para fora da arena o corpo de um gladiador vencido, os rastros de sangue eram bem visíveis. Os cristãos também matam, mas estendem sobre o sangue que derramam o grande manto de suas mentiras.

Antonius vai até ele. Invoca a escolha que Deus dá a cada homem de lutar contra o Diabo ou submeter-se à lei dele.

Julius torna a se sentar na mureta e faz um gesto de cansaço, convidando o filho a prosseguir.

— Vá, conte-me o fim da luta!

Antonius hesita, afinal começa a falar, a princípio em voz baixa, sem muita firmeza, mas depois se refaz e levanta a voz.

— Martinho não se esquivou. Citou um versículo da Escritura: "O Senhor é meu esteio. Não temo o que um homem me possa fazer." Fez o sinal-da-cruz, e o homem se foi.

— O Diabo, o Diabo, o gladiador negro! — grunhe Julius Galvinius.

Ergue-se indignado: como pode seu filho dar fé a tais relatos? Não se trata do Cristo nem do Diabo, mas simplesmente dos homens e das lutas que os opõem, tão cruéis quanto um combate de gladiadores. O judeu contra o núbio: quaisquer que sejam as palavras empregadas, é sempre o mesmo enfrentamento entre ambições rivais. Antonius não sabe que os bispos investem uns contra os outros como exércitos inimigos? Uns seguem os preceitos de Ário, os outros, fiéis ao Concílio de Nicéia, estão do lado oposto. Guerras de soldados mitrados! Como outrora, o imperador escolherá se este ou aquele deve ser degolado, um tomará o lugar do judeu, o outro o do núbio, ou vice-versa, ao arbítrio dos interesses do Império.

Julius Galvinius encaminha-se para Antonius em passos mais rápidos e o interpela: seu filho ignora que dizem que Martinho deixou Poitiers encarregado de uma missão pelo bispo? Que ele devia encontrar o imperador Constâncio II na Cisalpina ou em Panônia, a fim de conseguir o perdão para Hilário, revogar seu exílio e abandonar os arianos? Mas Constâncio se recusou. Como fazer os crentes acreditar nesta derrota? Fizeram o Diabo surgir numa estrada cisalpina, e Martinho ganhou o troféu de vencedor!

Julius Galvinius segura os ombros do filho, mas o gesto é desprovido de ternura, o jovem afasta-se vivamente como se temesse que o pai não o soltasse e até o mandasse matar.

— Eu não sou o Diabo! — protesta o ancião às gargalhadas.

Dá alguns passos, volta-se para Antonius.

— Mas você tem razão de ter medo — resmunga. — O Diabo foge, mas os homens matam. E os mortos não ressuscitam.

Antonius fecha os olhos e murmura:

— O Senhor é meu esteio. Não temo o que um homem me possa fazer.

VINTE E UM

Martinho caminha desde o alvorecer até o meio da noite, quando se deita num fosso ou debaixo de uma árvore até que o frio ou o vento o despertem.

Se a tempestade é violenta demais, ele se encolhe na reentrância de um rochedo.

Às vezes, ele sai da estrada, sobe correndo até perder o fôlego ao topo de um monte onde o chama a cruz de uma capela. Recolhe-se na penumbra e agradece a Deus. Está seguro de não temer mais nada dos homens, uma vez que escolheu ser soldado de Cristo e lutar somente pela fé.

Os cristãos dessa comunidade perdida no meio do oceano pagão avistaram Martinho e se juntaram em torno dele. Trazem-lhe frutas e pão. Ele agradece, mas recusa. Alimenta-se apenas dos frutos que pode colher na beira da estrada.

Deus e a prece fazem-no esquecer a fome e a sede.

Os cristãos o acompanham até a via reta e calçada que vai além da Itália, em direção à Ilíria, à Panônia, ao Danúbio, sua terra, sua cidade. Seus pais.

Novamente na estrada, ele está caminhado sozinho, curvado contra as rajadas de chuva ou sufocado por um calor abrasador que faz tremer o horizonte. Daí a pouco, no ar quente que vibra, Martinho avista as muralhas da cidadela de Sabaria.

Anda mais depressa e reconhece o portão da cidade, as ruelas surgindo do fundo de sua infância.

Ele interroga os soldados que encontra, os mercadores que o abordam. Mostram-lhe uma casa baixa no fim de um escuro beco sem saída.

É lá que estão seus pais.

O tribuno mal vira a cabeça, quando a mãe dá um grito e vem estreitar o filho contra o peito. Ela lhe acaricia o rosto, afasta para trás os cabelos dele para reconhecer o rosto encovado de olhos brilhantes. Interroga-o em voz baixa.

De repente, o tribuno se levanta, berra que esse filho traiu o pai e o imperador, que cobriu seu nome de vergonha, que cometeu perjuro, que recusou combater os bárbaros, renegou as divindades protetoras do Império. Preferiu adorar o deus dos judeus, dos godos e dos visigodos, povos que invadiram Roma como um bando de rapinantes, e até o exército agora está em poder deles, elegeram imperadores que se tornam escravos deles e adotam o deus da seita.

Mas ele, veterano do exército romano, nunca renunciará a Júpiter e a Marte, a Apolo e a Cibele.

Indica um nicho com as estátuas desses deuses.

— Que o filho que esqueceu suas origens deixe a casa do pai! — vocifera ele.

Martinho se deixa expulsar. Ouve a mãe cochichar-lhe:

— Estou contigo.

Ele se ajoelha e murmura:

— O Senhor é meu esteio. Deus é meu pai...

E afasta-se em passos lentos, encurvado como se carregasse a Cruz.

Martinho vagueia por Sabaria. Dorme onde pode, debaixo de um pórtico, diretamente no chão.

Cães vêm farejá-lo, lamber-lhes as mãos.

No terceiro dia, soldados o cercam: quem é ele? Cristão? De onde vem? Atravessou os rios e os Alpes, vem da Gália, mas nasceu aqui mesmo, em Sabaria.

O Diabo às vezes se finge de cristão, objeta um homem, segurando-o pelos ombros enquanto o sacode, e certos cristãos que se dizem cristãos são como serpentes que difundem veneno.

— Quem é teu bispo? Aqui, nossos padres se chamam Valence e Urbace. E tu? Acaso os conhece? Eles são recebidos na corte do Imperador Constâncio que está em Sirmium. E teu bispo? Não disseste o nome dele...

O homem o sacode de novo.

— Eu creio no Pai, no Filho e no Espírito Santo — responde Martinho. — Esta é a verdadeira fé, a de meu bispo, Hilário de Poitiers.

O homem empurra-o contra a parede, afasta-se dele e o aponta ao pequeno ajuntamento de pessoas.

— Ouviram? — grita. — A língua deste homem é um punhal. Ele fala? Ele fere em nome do Diabo! Hilário foi condenado, exilado, mas enviou aqui este réptil para matar os fiéis do Deus único. Ele quer espalhar a mentira entre nós. Que seja expulso!

O homem empunha uma vara e fustiga os ombros de Martinho, que tenta proteger o rosto.

Empurram-no, apedrejam-no.

Soldados com os panos da clâmide jogados nas costas dão-lhe vergastadas com toda força, enquanto o insultam e o levam até uma das portas da cidade.

Quando ele tenta parar, os golpes recrudescem.

Ele não consegue fitar seus perseguidores, que esquivam os olhos e berram mais alto as ofensas quando ele se esforça para falar-lhes, para tirálos da heresia em que se encontram. Pois, considerando-se cristãos, eles servem a bispos e a um imperador que utilizam e difundem os erros de Ário para melhor garantir seu próprio poder.

Contudo, a cada vez que Martinho afirma sua fé no Pai, no Filho e no Espírito Santo, as vergastadas ficam mais violentas. E ainda atiram pedras para que ele se afaste mais depressa dos muros da cidade.

Refaz os passos de novo pela estrada que há poucos dias percorreu cheio de energia e esperança. Agora, tem as costas doloridas, as pernas pesadas. É forçado a parar freqüentemente, a se sentar nos aclives à beira da estrada. Está transido de frio. Treme nas noites claras, como esta, em que lhe parece ouvir ainda os gritos que o perseguiram o tempo todo pelas ruelas de Sabaria.

Ajoelha-se e reza. Deus quis que ele descobrisse que o ódio é a cara do Diabo e que assim podemos reconhecer os demônios, mesmo que se denominem cristãos. Quem não ama não pode ser soldado de Cristo. Aquele que fere, que humilha, que mata não passa de arma do Diabo, mesmo que finja rezar.

De repente, tranqüiliza-se e levanta a cabeça para o céu estrelado.

Deus quis que ele avaliasse a violência da heresia. Deus quis que ele ouvisse a voz de sua mãe a lhe dizer: "Estou contigo." Deus quis que ele se lembrasse do Evangelho, que diz: "Se vos expulsarem de uma cidade, fugi para outra."

Ele não espera o raiar do dia para retomar a estrada. Deve deixar-se guiar, aceitar o que quer que aconteça. E rezar.

Ele chega a Milão, entra na cidade. Procura a igreja, percorre-a, mas, assim que se aproxima do altar e ajoelha, sente que o espreitam, que aqui também, como em Sabaria, não é o amor que reina, mas o ódio. O Diabo corroeu o coração desses cristãos. Não se surpreende quando novamente os soldados o rodeiam, batem nele e o expulsam da cidade. Eles dizem que obedecem ao bispo Auxêncio, também fiel aos princípios de Ário.

Mas que fé é essa que precisa de varas e de gládios para reinar? Que bispo é esse que recorre aos soldados do imperador para fazer respeitar a lei de Cristo na qual pretendem crer?

Apesar das pancadas que recebe, Martinho, sem procurar se defender, repete essas perguntas que deixam os soldados enfurecidos. Batem-lhe na boca para que se cale. Dão-lhe socos nos olhos para que as pálpebras se fechem e ele não possa olhar seus carrascos nos olhos. Atiram-no arquejante num fosso fora da cidade.

Ele fica imóvel, o corpo doído. Como devia estar o de Cristo quando subia o Calvário. É certamente esse sofrimento da Palavra recusada que Deus pretende que ele conheça.

Martinho se levanta. Já que a hora ainda não chegou, ele caminha com a determinação de fortalecer sua fé na solidão, até o dia em que Deus julgar que ele pode e deve se dirigir aos outros novamente.

Fica feliz quando avista a orla do mar e, no horizonte, a ilhota rochosa, parecendo uma grande pedra coberta de relva e alguns arbustos.

Ela será sua gruta, seu deserto, seu eremitério.

Um pescador leva-o até lá juntamente com um jovem padre que o bispo Auxêncio expulsou de Milão por ser fiel ao Concílio de Nicéia.

Nessa ilha de Gallinara, de onde se avista a costa mediterrânea, eles estão sozinhos entre os pássaros.

Rezam entre o céu e o mar. Alimentam-se apenas de ervas. Sentem-se purificados nos corpos que se ressecam sob os raios do sol e em dieta extrema.

Sentem-se tão leves que têm a impressão de que o vento, quando sopra mais forte e joga o mar contra os rochedos, vai carregá-los. Estão tão fracos que se deitam ao sol, os braços em cruz, para ficarem presos à terra.

Um dia o vento parou de soprar e Martinho não se levantou. Seu corpo estava alagado de suor. Quase não pode se mexer, arrastar-se até a anfractuosidade do rochedo, nem sequer até a gruta onde vive.

Talvez o suco de uma dessas ervas ou raízes de que ele se alimenta — heléboro? — o tenha envenenado. Talvez seja Deus que lhe estende a mão para levá-lo para fora do mundo, marcando o término de seu calvário?

Se assim deve ser, que seja!

Ele reza, incapaz de se levantar durante vários dias, o corpo ardente coberto de gotículas geladas.

Está sereno. Espera. Não quer viver nem ir para o outro mundo. Só deseja submeter-se à vontade de Deus e servi-Lo.

Uma manhã, quando desde o início da doença ele não ouvia mais que um silvo agudo encobrindo todos os outros sons, Martinho escuta o barulho da ressaca, o pipilar dos pássaros, o bater das asas, enfim, a voz do pescador que o visita de vez em quando.

Martinho se levanta. Vacila um pouco, mas tem forças para andar até a praia. O barco do pescador está sobre os seixos da angra, cuja água de reflexos verdes é tão transparente que permite ver-se o movimento sinuoso das algas no fundo.

Alvorece. O pescador se aproxima na luz nascente acompanhada de um sopro de brisa. Ele diz que foi encarregado de trazer uma notícia.

Martinho não escuta as outras palavras. Sabe que sua provação está terminada. Deus julgou. Deus o quer lutando por Ele aqui na Terra.

— O bispo de Poitiers, Hilário, voltou do exílio! — repete o pescador.

Ele pronuncia essas palavras como se não compreendesse o sentido e fica espantado quando Martinho o enlaça pelos ombros e murmura, apertando-o contra si:

— A viagem chegou ao fim. Parto contigo.

QUARTA PARTE

VINTE E DOIS

Martinho levanta os olhos. Dá mais alguns passos e tem a impressão de que, para além dos templos e das basílicas cujas colunas se alinham ao longo do fórum romano, uma muralha vermelha barra o horizonte. Seria de dizer que era o enorme pedestal de uma torre alta erguida em direção ao céu.

Ele pára.

Pouco a pouco, na sombra da muralha ele percebe a multidão que se comprime sob os pórticos e entra no Coliseu onde outrora morreram milhares de mártires. Os gritos ainda ecoam. Os homens já não lutam entre si — gladiadores votados à morte —, mas enfrentam animais selvagens, leões e panteras importados da África, ursos e cães ferozes trazidos das florestas germânicas. O sangue ainda corre lembrando o dos mártires.

Martinho não se mexe. Tem a sensação de que suas pernas doem e pesam tanto que não o carregarão mais. Ele contempla o Coliseu. Parece-lhe que foi justamente o sangue humano que tingiu os tijolos, transborda do anfiteatro e se espalha por toda a Roma.

Ele se volta.

Será o cansaço da caminhada? Desde que saiu da ilha de Gallinara e tomou a direção da capital do Império, seguindo pela via Aurélia, só parou para descansar alguns minutos por dia. Queria chegar a tempo de encontrar Hilário, que voltou do exílio no Oriente.

Mas parecia que um espírito maligno semeou, a seu bel-prazer, obstáculos pelo caminho. Ali, um desabamento de terra, aqui, são cristãos que o levam para a igreja e lhe dão conta da angústia que sentem: quem deviam seguir? Hilário, que, para alguns, pregava a justa e única fé, ou os outros bispos que chegavam escoltados por soldados da guarda imperial e amaldiçoavam Hilário, afirmando que ele deixara o exílio sem estar autorizado?

— Tu, que pareces sensato — perguntavam a Martinho —, tu que és mais magro que o mais pobre dos pobres, tu que te vestes apenas de andrajos, tu cujo olhar ofusca como o sol, dize-nos o que pensas disso e por que os cristãos se matam uns aos outros; por que o imperador deve impor sua voz e escolher a fé que lhe convém?

Um desses cristãos repetiu que a voz de Cristo não pode ser misturada a nenhuma outra, nem encoberta pela do imperador, qualquer que seja ele.

— O bispo não deve ser o cônsul do imperador — concluíra o homem.

Martinho aprovou essas palavras e disse que Hilário de Poitiers, cujas virtudes ele conhecia, era fiel ao Pai, ao Filho e ao Espírito Santo. Assim sendo, devia ser seguido. Ele mesmo pretendia ir a Roma para encontrá-lo.

Mas, quando entrou na cidade, ele foi tomado de inquietação. Teve de se meter na multidão que enchia as ruelas escuras e fétidas. Teve de esbarrar nessas mulheres e jovens que ofereciam os corpos aos passantes. Teve de ouvir as vozes tentadoras que o convidavam a entrar nas barracas onde o chamavam a beber vinho, jogar e fornicar. Finalmente, ele avistou o Coliseu, memória e anúncio desse fim do mundo onde o homem mata o homem, onde os fiéis de Cristo são pregados na cruz e entregues às bestas-feras. E onde a multidão aplaude esse espetáculo.

Martinho sentiu crescer dentro dele a certeza de que o Anticristo, o espírito maligno, o Diabo estava ali, esperando a vez de dominar a terra inteira, provavelmente depois que Nero tiver voltado, reinado, restabelecido o império dos ídolos, perseguido todos os que rezassem ao Crucificado. E o Anticristo talvez se apresentasse a si mesmo como o Cristo. Enganaria a maior parte dos homens. Ordenaria que todos fossem circuncidados segundo a antiga lei. E só no momento em que estivesse no apogeu de seu reinado, depois até de ter matado Nero e se tornado o único imperador do mundo, é que o Cristo reapareceria e o aniquilaria.

Martinho contornou o Coliseu, separou-se da multidão barulhenta e bêbeda, afastando-se o mais rapidamente possível, e entrou numa igreja modesta, fora dos muros de Roma.

Interrogou alguns cristãos. Eles tinham visto Hilário, que chegara do exílio na Frígia, mas o bispo passara apenas alguns dias em Roma e resolvera voltar o quanto antes para a diocese dele.

Martinho ouviu e inclinou a cabeça com humildade.

Deus certamente quis que ele viesse aqui para descobrir a força do Anticristo, a grandeza orgulhosa dos templos pagãos, a furiosa alegria da multidão que vê correr o sangue, e também para avaliar a profundidade do corte que divide a cristandade.

É esse o sentido das provações que ele teve de enfrentar desde a partida de Poitiers.

O Diabo está presente em toda parte, o espírito maligno enfiou-se na alma dos cristãos, os demônios assumiram a aparência de Cristo e os pagãos continuam a adorar seus ídolos em pleno coração de Roma, a cidade do apóstolo Pedro.

Martinho pôs-se de novo em marcha.

É preciso converter. É preciso reunir. É preciso cicatrizar as feridas que os cristãos infligem a si mesmos: "A fim de preservar a saúde deste corpo que formamos em Jesus Cristo", disse Clemente, bispo de Roma.

VINTE E TRÊS

Primeiro, Martinho vê os olhos e o sorriso de Hilário. O bispo está de pé no meio dos fiéis no adro da igreja de Poitiers. Abre os braços. Martinho caminha para essa cruz que o acolhe e o protege. Tem a impressão de que seu corpo se liberta da poeira do caminho, grudada em sua pele desde que saiu de Roma, e de que renasce.

Os fiéis começam a cantar, a recitar salmos.

Martinho se aproxima do bispo que o fita demoradamente e depois murmura:

— Você foi perseguido, você sofreu. Mas você aprendeu, e aqui estamos reunidos.

Ele mostra os fiéis.

— Estes são tempos tormentosos. Os cristãos se dilaceram. Os fiéis de Ário estão dominados pelo Diabo. Eles recusam a Trindade. São escravos do imperador, assim como os bárbaros, godos, visigodos, vândalos, eles rezam a um deus sem mistério, tão frio como um ídolo pagão. É preciso, pois, que os verdadeiros cristãos se unam.

Martinho escuta. Em contato com essa multidão que canta e reza, experimenta uma alegria profunda e, ao mesmo tempo, tem a impressão de que esse burburinho, esses olhares, essa expectativa que lê em todos esses olhos voltados para Hilário e para si mesmo o impedem de se oferecer a Deus.

Se quiser encontrar a força para afastar os pagãos de seus ídolos, dar o exemplo do que podem ser a generosidade e o poder do Altíssimo, ele deve se retirar para o deserto, rezar sozinho como um eremita, a fim de que nem um só de seus pensamentos seja desviado de sua finalidade: amar a Deus e submeter-se a Ele.

De súbito, ele se sente abatido, como se toda a fadiga e a poeira da estrada o envolvessem.

Tem necessidade de ar puro, da prece solitária. Recorda-se com saudade da ilha de Gallinara, do silêncio apenas ritmado pela respiração da maré e o canto dos pássaros. Da morte que o roçou, no entanto, introduzindo em seu corpo a peçonha das ervas venenosas, ele guarda somente uma lembrança amena e agradecida. Abandonou-se nas mãos de Deus, e Ele decidiu manter sua presença no mundo. E a morte se foi.

Martinho olha a multidão reunida: viver assim sem poder isolar-se na prece? Como poderá escutar Deus se todas essas vozes humanas ressoam nele?

Ele fecha os olhos. Tem a sensação de não ser mais que um pedaço de pano cujos fiapos são disputados.

Não pode deixar que Hilário ignore o que está sentindo. Deve confessar ao bispo de Poitiers o desejo de se consagrar a Deus à maneira de um eremita. Somente desse modo, ele estará a serviço do Senhor Jesus Cristo, poderá interceder melhor pelos homens, e Deus o escutará.

* * *

Todos os dias ele repete a Hilário que Deus o chama ao deserto, que sofre por não poder obedecer a Ele, por ser desviado da prece a todo instante pelas obrigações de diácono e de abade que o bispo lhe confiou.

Hilário escuta. Balança a cabeça, mostra-lhe os possessos, os pagãos que é preciso exorcizar, converter.

Martinho obedece e, uma vez em ação, esquece o sofrimento que traz dentro de si.

Ele se persigna, impõe as mãos sobre a cabeça de um desses desgraçados que o Demônio domina e faz estremecer.

Eles ficam tensos como uma corda, e Martinho tem a impressão de que precisa segurá-los para arrancá-los das garras do Diabo. Alguns se contraem de repente e pulam, parecendo projetados no ar em cima da nave estreita. Ficam suspensos, assim, berrando, às vezes de cabeça para baixo. As saias das mulheres grudam nas pernas. Depois, uma vez libertados da possessão demoníaca, eles despencam pesadamente no chão. Banhados em suor, alguns soluçando. Todos dizem preces antes de deixar a igreja, de cabeça baixa, o corpo doído.

Martinho os vê se afastarem. Agradece a Deus por lhe haver concedido o poder de expulsar os demônios desses corpos e desses espíritos, mas sua alegria logo se dissipa sufocada pela tristeza. Ele não deseja nada a não ser se deitar no chão, braços em cruz, para esquecer tudo que o cerca, e rezar.

Ele vai para um pequeno aposento anexo à igreja. As portas batem. Alguém o chama. Ele é diácono. É sacerdote. Como pode se esquivar? Contudo, sente que as forças o abandonam. Precisa se comunicar com Jesus Cristo na solidão, e ali, como seria possível?

De repente, ele sente uma presença. Vira-se, Hilário o observa e logo se aproxima.

— Queres partir? — pergunta.

— Quero rezar no silêncio, isolado deste mundo, para ouvir a voz de Deus — murmura Martinho.

— Vai, pois — diz o bispo.

* * *

Martinho deixou Poitiers.

Segue desde de manhã pela margem direita do Clain, rio estreito que serpenteia por entre colinas arborizadas. Ouve apenas o rumor das águas e o farfalhar da brisa nas folhas dos freixos e das nogueiras, dos salgueiros e dos choupos-brancos.

Caminha lentamente, serenado pelo ameno verde pastel da paisagem. Roçando a superfície das águas, pássaros parecem acompanhá-lo e, à medida que o sol se levanta, o vale dá a impressão de se ampliar, protegendo num grande estojo o colar de ouro do Clain.

Martinho pára. No meio de um vasto terreno, avista as ruínas de uma vila. Os panos das paredes, os fustes das colunas, os telhados de terracota estão parcialmente cobertos por uma vegetação selvagem que também recobre as árvores frutíferas do que deve ter sido uma propriedade gaulesa. Um dia, os godos, os visigodos, os vândalos, os alamanos apareceram no alto das colinas e se atiraram sobre a vila, os habitantes, o jardim, as colheitas, como insaciáveis rapinantes.

Martinho dá alguns passos entre blocos de pedra quebrados.

Num deles, talvez a base de uma estela funerária, ele lê um nome: Lucoteius. Senta-se na terra em frente a essa pedra em que a hera se agarra.

Ele olha para o céu, ouve o silêncio. Ali será seu eremitério. Martinho deita-se na relva tão densa que o solo parece mais macio que qualquer outro lugar em que dormiu há meses.

Ali sua voz pode ser ouvida por Deus. Ali ele vai rezar.

Vai viver na beira do Clain, nessas ruínas, num local de referência que será chamado de Ligugé.

Ele explorou o que restou das construções. Afastando as sarças, descobriu alguns degraus que levavam a um subterrâneo rodeado de pequenos compartimentos. O chão é seco, coberto de calhaus cuidadosamente unidos uns aos outros. Decerto, os grãos eram guardados ali. Será a sua capela. Dormirá em um dos quartos contíguos.

É como se fosse uma gruta. A exemplo desses eremitas do deserto que se alimentam de algumas bagas e ervas. Ele levará uma vida igual à deles.

Ajoelha-se e reza. Depois, cochila por alguns instantes e reza outra vez. Quando sai de sua "basílica" e sobe alguns degraus, a luz o ofusca, o ar livre o entontece. Ele anda até as árvores, colhe frutos beliscados ou ressecados, e volta para a penumbra de sua gruta.

Um dia — ele não sabe quanto tempo decorreu desde que ali chegou —, Martinho encontra uns homens que o aguardam de pé, as mãos postas. Eles vão em sua direção, murmuram que querem viver perto dele, no mesmo silêncio, para rezar seguindo seu exemplo, criar a seu redor uma comunidade de crentes que, embora afastados do mundo, unirão suas vozes para se dirigirem a Deus. E elas serão mais fortes por estarem assim reunidas como um maço de espigas.

Assim fazem no Oriente os que chamamos de monges.

Martinho abaixa a cabeça. Já que esses cristãos encontraram o caminho que ele mesmo percorreu, que seja feita a vontade do Senhor!

Eles serão "irmãos". De vez em quando se reunirão para rezar em conjunto. Desbastarão o terreno ao redor das ruínas. Em torno da antiga vila gaulesa cujo subterrâneo de grãos virou basílica, alguns construirão abrigos de pedras secas e chatas, como pequenas colméias, onde irão viver.

Aos poucos, eles vão se tornando cada vez mais numerosos, mas o silêncio do lugar jamais é perturbado.

Os que ali vivem só querem estar com Deus e unirem-se uns aos outros como abelhas desgarradas da colméia. São catecúmenos. Seguem os ensinamentos de Martinho, transmitidos não por palavras, mas por exemplos.

Aguardam o batismo.

Martinho observa um dos homens: Demetrius, um jovem magro, descarnado, que espera o batismo como um prisioneiro espera a liberdade. Ele recita salmos, reza, dorme na terra nua. Ele escuta, os olhos brilhantes, os ombros às vezes sacudidos por uma tremedeira, como que tomado de uma febre súbita.

Martinho tenta confortá-lo, acalmá-lo. Diz que o receberá entre os cristãos dentro de três dias. Que Demetrius se prepare, purifique o corpo e o espírito!

— Dentro de três dias — repete Martinho.

Ele deve ir a Poitiers a chamado de Hilário, decerto para extirpar o Diabo entranhado nos corpos dos possuídos.

Ao se afastar de Ligugé, antes de franquear a primeira colina, Martinho pára e vira-se.

Na tênue luz do alvorecer, ele avista as cabanas dos monges, as ruínas da vila. E entre as árvores, agora livres do mato alto e das sarças, a silhueta de Demetrius que reza ajoelhado.

VINTE E QUATRO

Martinho embrenha-se a passos largos no nevoeiro que cobre o vale do Clain. Tem pressa de voltar à solidão e ao silêncio de Ligugé que tinha deixado, no entanto, há apenas três dias. Mas sente-se exaurido de tanto rezar pelos possessos e pelos pagãos reunidos por Hilário na igreja de Poitiers.

Tem a sensação de estar vazio de todo o seu sangue, de todas as suas forças, de estar mutilado, como se o fato de não ter podido rezar na solidão e no silêncio o tivesse privado da parte mais vital de si mesmo.

Caminha, portanto, a toda pressa, mas a umidade gelada do ar o sufoca. Ele respira com dificuldade. Sente frio. Às vezes tem a impressão de afundar num pantanal. Procura pontos de referência a sua volta. Mas a bruma cobriu o rio, as margens e até as colinas.

Martinho mal distingue o caminho submerso nas espirais da espessa cerração. Ele pára com freqüência para recobrar o fôlego; seu rosto e o corpo todo cobrem-se logo de um suor frio que o faz tiritar. Ele volta a caminhar, sobe as encostas, pára novamente. Parece-lhe vislumbrar na massa nebulosa que às vezes se esgarça as ruínas da vila e os abrigos dos monges. Ligugé está perto.

Em seguida, tudo se esconde de novo. Mas ele reconhece o caminho que desce. Lembra-se desse declive, dessa curva. Está a poucas passadas da basílica onde vai poder rezar, enfim, tomado unicamente pelo pensamento em Deus.

De repente, Martinho se imobiliza. Ouve cantos e preces de luto a que se misturam soluços, prantos.

Ele vai na direção dessas vozes e esbarra, de chofre, em um monge de rosto sulcado pela tristeza e pelo desalento. O irmão segura as mãos de Martinho e repete com voz entrecortada:

— Demetrius morreu! Demetrius se foi.

Martinho recebe o golpe no oco do ventre e dobra-se, grita de dor.

Demetrius, a quem ele prometera o batismo, foi levado pela morte antes de receber a luz.

Deus, o que queres? Deus, por que castigar esse homem tão jovem que só queria viver por e para Ti? Deus, por que me punes? Reprovas-me por ter deixado o eremitério antes de ter batizado Demetrius?

Martinho abaixa a cabeça. É o mistério, o privilégio de o Senhor decidir em Sua onipotência. E até infligir sofrimento se Ele quiser.

Martinho entra no pequeno compartimento da basílica por onde levaram o cadáver de Demetrius.

Os irmãos estão reunidos em torno do corpo já rígido, que em sua inflexibilidade óssea parece mais descarnado ainda.

Martinho se aproxima, toca a testa de Demetrius. Fica inteiramente atônito: pensava encontrar o frio da pedra, no entanto parece-lhe que ainda há vida sob seus dedos.

Talvez Deus tenha apenas querido experimentá-lo, saber se ele era capaz de esperar.

Martinho vira-se.

Diz que deseja que o deixem só. Percebe o espanto aflito e doloroso dos monges que não ousam protestar, mas cujo olhar está preso ao corpo endurecido de Demetrius.

— Saiam todos — repete Martinho — e rezem na basílica!

Ele fecha a porta atrás dos monges e volta para a cabeceira de Demetrius.

É preciso crer.

Deixar-se invadir pela absoluta confiança no Espírito Santo.

É preciso que esta fé, esta submissão, esta esperança que ele tem dentro de si passe para esse corpo rígido.

Martinho deita-se sobre Demetrius.

Sente contra sua pele e seus membros a pele e os membros de Demetrius.

Ele se entrega a Deus, chama-O. Suplica-Lhe que salve este jovem de uma morte fora da Igreja. É preciso que Demetrius recupere a vida para receber o batismo.

É preciso devolver-lhe a vida.

Martinho pousa os lábios nos de Demetrius.

Que o sopro de Deus entre nele!

Fica deitado assim sobre o defunto, com a sensação de não ter mais o que fazer com esse corpo a não ser confundir-se inteiramente com ele, e, pouco a pouco, a certeza de que, uma vez que Deus o deixou com vida, ele, Martinho, vai devolver a vida a Demetrius.

Será como um renascimento. Uma ressurreição.

Ele havia esquecido o tempo passar nessa postura, mas pareceu-lhe que o corpo de Demetrius acabara de estremecer.

Martinho ergue-se um pouco. Demetrius mexe as pálpebras. Exala um suspiro. Reabre os olhos.

Martinho se ergue como se todo seu peito se dilatasse: ele solta um grito! ele reza! ele canta!

Deus o pôs à prova. Deus mediu sua fé e sua esperança. Deus ressuscitou Demetrius.

Os monges entram. Demetrius está vivo. O aposento se enche de alegria.

Deus quis que esse homem fosse salvo para que enfim pudesse ser batizado.

Martinho marca-o com o sinal-da-cruz, impõe as mãos sobre sua cabeça e, rodeado pelos monges, leva-o até a pia consagrada onde Demetrius, ainda cambaleante, chega em passos vagarosos.

A água purifica-o três vezes, depois Martinho derrama-lhe o óleo santo na cabeça e marca-o de novo com o sinal-da-cruz. Por fim, ele o abraça, oferece-lhe uma mistura de leite e mel, bem como um copo cheio d'água

— Tu és cristão — murmura, ajudando-o a vestir uma túnica branca.

Todos cantam.

Demetrius relata o que vivenciou. Conta que foi levado a um tribunal que o rejeitou nas trevas, depois apareceram anjos que evocavam as preces que Martinho recitava, a sentença foi proferida e Demetrius reconduzido à vida.

— Eu estava com frio — diz ele —, mas aos poucos senti que um sopro quente penetrava meu corpo. Vi a luz e, ao mesmo tempo, o rosto de Martinho junto do meu.

Ele lhe toma as mãos e as beija.

Os monges, por sua vez, louvam Martinho por sua fé, seu poder.

Ele ressuscitou um morto. Deus o escolheu! Martinho pode interceder junto a Ele, e será atendido. Alguém grita:

— Martinho faz milagres!

Eles o rodeiam, tocam nele.

Martinho se afasta. Quer estar só para agradecer a Deus e ouvi-lO.

Distancia-se, vulto magro que se desfaz na penumbra.

VINTE E CINCO

Antonius Galvinius estremece.

Tem a impressão de que, no instante em que parou de falar, um vento úmido envolveu seu corpo: esse sopro frio que desliza pelos ladrilhos da êxedra, alcança as pernas, arqueia as chamas da lareira e vai-se embora rodopiando em torno das colunas do peristilo.

Chove. A tempestade martela as telhas que cobrem a colunata.

Antonius fecha os olhos, inclina-se para a frente, dobra-se, as costas arqueadas, os cotovelos apoiados nos joelhos, o rosto escondido nas palmas das mãos como que para se proteger, conservar por mais tempo essa imagem de Martinho que lhe fez esquecer a presença de Julius Galvinius.

Ele não pode ver nem ouvir o pai. Mas esse já se levantou, foi para perto do terraço, resmungou que esse deus deveria impedir o granizo de cair e devastar o vinhedo.

Que Antonius reze, pois, ao seu senhor todo-poderoso, capaz de ressuscitar os mortos a seu arbítrio! Julius Galvinius exclama, virando-se para o filho.

Ele balança a cabeça e acrescenta em voz baixa, quase cansada:

— Antonius, você é mais crédulo que uma moça virgem!

Afasta-se para o peristilo, dá ordens para que continuem a colher as uvas apesar do temporal, apesar desse deus hostil de que Antonius se pretende fiel e que, no entanto, não concede sequer uma calmaria.

O jovem tapa as orelhas com as palmas das mãos, aperta as pálpebras: não mais ouvir, não mais ver Julius Galvinius, reencontrar Martinho na época em que ele andava pelos vales dos arredores de Ligugé...

É uma tarde ensolarada de outono, quando as folhas ainda não juncam os caminhos. A natureza está tranqüila; uma espécie de ternura e de suavidade impregna a paisagem. O ar cheira a fruta madura.

E em seguida esses prantos, essas lamentações, essas súplicas, essas mulheres que surgem de uma vereda, braços erguidos, arrancando os cabelos aos tufos, invocando os deuses e atirando-se aos pés de Martinho. E homens chegam, por sua vez, implorando.

Eles sabem, dizem, que Martinho ressuscitou um morto, que ele faz milagres, é mágico, grande sacerdote, fala com os deuses, e os deuses o escutam. E acrescentam que não são cristãos, como Martinho, mas o corpo que está deitado lá no quarto, morto, é de uma criança, um filho de escravos.

— Ele se enforcou! — geme uma das mulheres.

Ela arranha o rosto até correr sangue. Diz que bateram na criança, que ninguém nunca a amou.

Outras mulheres soluçam, gemem, puxam Martinho para a vila de Lupucinius cujas brancas colunas se erguem entre as vinhas e os vergéis.

— Uma criança tão infeliz que preferiu morrer — sussurra um homem na orelha de Martinho. É justo isso? Será que seu deus, que é bom, que é amor, é o que dizem seus fiéis, pode aceitar isso? E você que lhe fala e ele escuta, você a quem ele deu o poder de salvar, de curar, como não há de se debruçar sobre o corpo dessa criança?

Martinho deixa-se levar pela turba. Está ao mesmo tempo emocionado e inquieto.

Qual é a vontade de Deus?

Será que o Senhor quer ouvi-lo mais um vez? Será que Ele quer lhe conferir mais uma vez o poder de trazer de volta à vida aquele que a deixou?

Martinho entra na propriedade. Mostram-lhe a cabana onde repousa o corpo do menino escravo.

Ele vê as mulheres que batem as cabeças contra a parede chorando.

Martinho abre os braços, fecha os olhos.

Pede que o deixem sozinho e façam silêncio.

Entra no quarto exíguo, encontra o corpo lívido da criança com uma marca vermelha em torno do pescoço.

Fará como fez com Demetrius. Servirá de passagem ao sopro do Senhor.

Ele se deita sobre o corpo da criança, pousa os lábios na pequena boca descorada.

Que o alento que o faz viver torne-se o do menino morto!

Ele esquece o tempo que escoa. Esquece seu próprio corpo. Ele não passa de uma prece.

De repente, os lábios do menino tornam-se rosados. Ele geme. Martinho se afasta. O pequeno escravo reabre os olhos, tenta se levantar. Martinho estende-lhe a mão, e a criança a aperta como se essa presença lhe fosse natural, familiar.

Assim, de mãos dadas, eles caminham até a multidão que, ao vê-los, grita, canta, dança, corre para tocar Martinho, beijar os panos de sua túnica, arrancar os fios para guardá-los contra si como relíquia, como talismã.

Martinho sente-se esgotado. Com um gesto, ele pede que o deixem retomar sozinho sua caminhada nesse dia de outono em que Deus o guia, em que Deus o tornou seu intermediário.

Ele experimenta uma alegria misturada de angústia: saberá compreender sempre os desígnios de Deus?

Saberá ser digno da confiança que o Senhor lhe concedeu e da notoriedade que as ressurreições de Demetrius e do menino escravo acabam de lhe trazer?

Volta a Ligugé.

Os monges saem dos abrigos, fazem-lhe uma escolta silenciosa, mas Martinho lê a admiração e a veneração nos olhos deles.

— Eu não sou nada — murmura-lhes —, não passo de um grão de poeira na palma de Deus.

Antonius Galvinius tem um sobressalto. O pai apoiou a mão em sua nuca. Ele se empertiga, reabre os olhos, vira a cabeça. O ancião aperta o lábio inferior entre o polegar e o indicador da mão direita. Franze as sobrancelhas, seu rosto exprime um misto de dúvida e desprezo, talvez de compaixão também.

— Você é tal qual uma jovem virgem que nunca viu sequer um garanhão cobrir uma égua com o membro escarlate. Uma jovem virgem crédula!

Ergue os ombros, retira a mão esquerda da nuca de Antonius.

— E você é meu filho! — murmura desalentado.

Ele puxa Antonius pelo braço, força-o a se levantar, arrasta-o pelo peristilo. Grandes glóbulos de granizo caem, espatifando-se no mármore da colunata, e aglomeram-se nas valetas.

Julius Galvinius perscruta o céu, vai até o meio do pátio, cabeça erguida enfrentando a chuva de granizo como que para desafiar os deuses. Em seguida, ele se dirige à biblioteca, uma pequena peça situada no ângulo do peristilo. Uma escrava o fricciona enquanto ele se deita num leito. Indica os livros enfileirados nas prateleiras e exclama:

— Eu ouvi você, e o que aprendi que já não soubesse?

Afasta a escrava com um gesto abrupto, põe-se de pé outra vez, aproxima-se de Antonius e o empurra violentamente para o leito.

— Você não vai tapar as orelhas e fechar os olhos como os cristãos costumam fazer quando alguém se recusa a acreditar em suas fábulas, não é?

Ele espalma a mão diante do rosto de Antonius, impedindo-o de responder:

— Tudo isso já está neste livro! — decreta.

Anda de um lado para o outro. Prossegue dizendo que Martinho não é o único curandeiro a reanimar um homem que parecia morto. Os pagãos da Gália Narbonense têm seus sacerdotes, seus mágicos, seus adivinhos capazes de realizar toda sorte de milagres. Eles conhecem as ervas. Eles purgam o heléboro.

Julius Galvinius se interrompe, depois explica:

— Sim, Antonius, quem não conhece a planta venenosa que, segundo você, Martinho engoliu na ilha de Gallinara? As pessoas ouvem os que a mastigam para purgar o sangue e falarem com os deuses. Eles andam de pés descalços sobre as brasas sem sentir dor alguma e, se lhes cortarem as mãos, não cessam de sorrir. Quem os possui: o seu deus?

Julius Galvinius dá uma risadinha irônica. Afaga os livros com as pontas dos dedos. Ele possui os setenta livros, a coleção completa de medicina de Oribásio, o médico grego que o imperador Juliano descobriu em Atenas e trouxe para a Gália e depois para Trier. Ele apanha um dos volumes e põe no colo de Antonius.

— Já que você sabe grego, leia! Vai ver como se cura e vai descobrir que não há nenhuma necessidade em acreditar no seu deus para fazer acordar qualquer um que as pessoas acreditavam morto.

Julius Galvinius volta a sentar-se no leito.

Talvez Martinho tenha encontrado Oribásio em Trier. Não importa que ele não fosse capaz de ler esses tratados de medicina. Qualquer soldado das Alae Scholares, qualquer desses cavaleiros que formam a escolta do imperador Juliano, sabia curar e levava consigo os instrumentos da medicina. Ele se tratavam uns aos outros. Havia médicos designados para essas unidades. Como, estando ao lado, não haveriam de tentar tudo para livrar da morte os companheiros feridos?

— Seu santo homem não passa de um curandeiro e, como todos os feiticeiros, astucioso bastante para dissimular os segredos de sua arte sob encantamentos, preces ou imprecações.

Julius torna a se levantar.

— Quem sabe que para ser curandeiro, exorcista ou feiticeiro basta acreditar-se depositário dos poderes dos deuses?

Ele se aproxima de Antonius.

— Eu só lhe peço para refletir em vez de se abandonar à crença. Seja mais fiel aos gregos que aos orientais!

Julius Galvinius inclina-se para o filho. Parece sentir dor, comprime os rins com as duas mãos. A pele do rosto sulcada de rugas está acinzentada.

— Quando a morte está próxima, quando a entrevemos na penumbra, quando ela se insinua em seu corpo e já prende parcialmente seus membros...

Ele se interrompe, empertiga-se, suspira.

—... o dorso está rígido e dolorido, as pernas queimam e pesam, os pés parecem picados por espinhos...

Fica algum tempo em silêncio, depois com uma voz que beira a paciência de um pedagogo:

— Sim, quando a morte já tomou conta de uma parte de você ou quando ela atinge um de seus próximos, você procura um curandeiro fazedor de milagres. Você quer que ele não se contente em tratar o corpo, mas que consulte e interprete os oráculos, que invoque os poderes superiores, as divindades. Você espera que ele salve, que devolva a vida. Você quer isso com tanta força que chega a acreditar no que ele diz, como se fosse tudo um sonho. Você quer a todo custo que ele fale, que ele diga que vai ressuscitar os mortos, devolver a vista aos cegos, a mobilidade aos paralíticos, a fala aos mudos. E, se uma única vez ele tiver sucesso, você acreditará nele para sempre.

O ancião se afasta em direção ao peristilo. A chuva continua.

— Não há um só deus, um deus único — acrescenta. — A maior prova disso é que, desde a origem do homem, são incontáveis os curandeiros, os feiticeiros, os mágicos, os sacerdotes que expulsam os demônios com um gesto e uma palavra.

Julius Galvinius vira-se e olha o filho nos olhos.

— Martinho é apenas um deles — diz. — Seu deus não passa de um entre muitos outros.

VINTE E SEIS

Antonius Galvinius fecha os olhos, cruza os braços, toca os ombros, envolve o tórax como para se proteger atrás de um escudo ou se impedir de ceder a esse demônio que fala pela voz de seu pai.

O ancião o fustiga, expele as palavras como se fossem flechas ou pedras, aproximando as catapultas, avançando os aríetes, erguendo as torres de assalto, cavando fossos para minar e derrubar a crença do filho no Senhor.

Antonius balança a cabeça violentamente e murmura:

— Eu te suplico Senhor meu Deus, conserva intacto o fervor de minha fé!

Daí a alguns instantes, ele tem a impressão de que um ruído surdo o invade, que o sangue martela em suas têmporas, que já não ouve Julius Galvinius e conseguiu repelir o ataque das palavras paternas.

Ele fica imóvel e diz:

— Eu afasto de minha fé aquilo que não compreendo.

Imediatamente a risada alegre se faz ouvir como uma chuva de granizo que cai sobre ele de surpresa, pegando-o pelas costas.

Ele precisa se defender de novo, enfrentar Julius Galvinius, que se espanta com a estratégia desse deus que dizem todo-poderoso e deixa seus bispos espancarem o pobre Martinho, expulsá-lo de Sabaria e de Milão. Como explicar isso?

— Todos receberam o batismo, são todos irmãos, fiéis a um deus de amor e eis que se esganam uns aos outros como cães raivosos!

Antonius reabre os olhos. O pai está diante dele, a cabeça ligeiramente inclinada para o ombro esquerdo. Ele sorri e murmura:

— Homens, nada mais que homens, em tudo semelhantes a todos os outros, que só aspiram a instaurar um poder e a governar seu império. E se utilizam de sua fé como de uma arma.

Ele dá de ombros.

— Mudam as bandeiras, mas os motivos da guerra entre os homens são sempre os mesmos...

— É o combate pela verdade da fé! — interrompe Antonius.

As palavras do Evangelho lhe ocorrem exatamente como Mateus as pronunciou:

— "Não penseis que eu vim trazer a paz sobre a Terra. Eu não vim trazer a paz, mas o gládio. Pois eu vim para opor o homem a seu pai, a filha a sua mãe e a nora a sua sogra. E não tereis como inimigos senão a gente de vossa casa..."

A risada de Julius Galvinius explode outra vez, depois, bruscamente, a cólera.

Ele segura Antonius pelos ombros e o sacode: então onde está a diferença entre a fé em Jesus Cristo e a que devotamos a Júpiter? Onde a diferença entre a perseguição de um cristão e a de um pagão? E os crimes de Constantino, o que os torna melhor que os de Nero ou de Calígula?

Antonius se desprende com um movimento de ombros.

É preciso saber fugir: ele deixa a biblioteca, pára no meio do pátio. O vento amainou. A chuva, agora fina, cai verticalmente.

— Meu Deus — clama Antonius Galvinius com voz audível —, eu tenho o maior respeito por Teus mistérios!

Persigna-se e vira-se para a biblioteca. O pai está na soleira, ao abrigo da chuva.

— Se Deus quis que Martinho fosse bispo — diz Antonius —, é porque quis que a fé justa prevalecesse.

Aproxima-se do ancião. Precisa fazê-lo calar-se, rechaçar esse inimigo, expulsar o demônio, dizer o que aconteceu.

Ele fecha os olhos novamente e retoma a narrativa.

São três dias de caminhada para ir de Ligugé a Tours. Quando Martinho deixa o eremitério numa manhã de pleno verão do ano de 371, não sabe que o Senhor e os fiéis preparam-lhe uma armadilha. Pois Deus permite que os homens usem de subterfúgios quando se trata de escolher o melhor servidor de Seu reino.

Martinho sabe apenas que seu mestre, Hilário, o bispo de Poitiers, está morto e que Lidoire, bispo de Tours, também faleceu. E que assim a região do Loire está sem pastor. Alguns fiéis já se apresentaram em Ligugé. Puseram-se de joelhos. Seguraram a barra da túnica de lã grosseira que Martinho veste.

— Guia-nos — disseram-lhe —, torna-te nosso bispo!

Ele os afastou, empurrou-os impondo as mãos em suas testas.

Repetiu que é eremita. Pretende rezar na solidão e, quando Deus o chama, é para curar corpos ou almas.

— Ressuscitaste Demetrius e o menino escravo! — responderam-lhe. — Só tu tens o nome iluminado por uma luz pura. Nós te queremos para bispo.

Ele não recebeu mais fiéis. Fechou-se. Rezou. Procurou afugentar a voz que murmura que Deus talvez o tenha escolhido e que ninguém poderia se furtar à missão mais dura, justamente essa que Martinho não deseja porque prefere o recolhimento à luta do dia-a-dia para conquistar almas.

Mas ele ouviu gritos. Empurraram sua porta. Um homem atirou-se a seus pés. Ele se lamenta e chora. Chama-se Rusticus. Martinho o reconhece: é um dos cristãos de Tours, um homem poderoso que manda erguer igrejas no lugar dos santuários pagãos em sua propriedade. Rusticus implora abraçado às pernas de Martinho.

Explica que sua mulher está doente, médicos e curandeiros mostram-se todos impotentes para curá-la.

— Eu vim a ti que foste escolhido para devolver a vida.

Rusticus está agitado, todo trêmulo.

— Não podes me abandonar! — repete ele.

— Vamos — Martinho acede por fim.

Rústicos levanta-se imediatamente, todo contente, e toma a dianteira no caminho que beira a margem direita do Loire.

São três dias de caminhada para ir de Ligugé a Tours. Mas, assim que Martinho deu alguns passos fora do eremitério, uma turba de homens e mulheres o rodeou.

É certamente uma armadilha.

Levam-no até Tours. As mulheres vestem saia de lã e um capuz que cobre a cabeça e os ombros. Elas caminham juntas, afastadas dos homens que vão na frente vestidos com a camisa e as bragas gaulesas. Alguns notáveis, atrapalhados em suas togas longas, seguem Martinho. Aos poucos, a multidão aumenta, um vozerio se eleva.

Martinho pára um instante para distinguir as palavras que todos repetem:

— Aqui está Martinho que designamos como nosso bispo na igreja de Tours! Aqui está o homem dos milagres que escolhemos para suceder a Lidoire!

Empurram-no, obrigam-no a seguir em frente, quando ele queria fugir, voltar a sua cela de Ligugé. Ele caiu como um pato na farsa de Rusticus. Agora é prisioneiro, forçado a entrar na igreja de Tours.

Antes, quando mal saíra da infância, obrigaram-no a se tornar soldado do imperador. Hoje, querem-no bispo desse exército de fiéis que se comprimem em torno dele e explicam que convocaram os prelados da vizinhança, pois, segundo a regra, "quem deve governar a diocese tem de ser escolhido pelos bispos vizinhos na presença do povo e será julgado digno pelo sufrágio do povo".

— Nós te queremos, Martinho, como nosso bispo de Tours! — gritam em torno dele.

Os bispos se adiantam guiados por Defensor, o bispo de Angers.

Há desprezo no olhar desses prelados que param a alguns passos de Martinho e o observam. Quem é ele exatamente, esse ex-soldado? Esse mágico, esse curandeiro que o vozerio do povo apresenta como um milagreiro? Ele, que nem sabe grego, que tem um ar tão deplorável com essa barba hirsuta, os longos cabelos embaraçados, os trapos sujos, ele que mais parece um mendigo, um errante? Fazer desse homem o bispo de Tours?

De mão erguida, Defensor fala à multidão para tentar acalmar os protestos. Mas os gritos jorram daqui e dali, mulheres gesticulam.

Alguém se adianta.

— Nós vos conhecemos — diz ele de braço estendido para os bispos —, cuidais somente de vestimentas e perfumes! Não quereis andar com um sapato gasto! Vossos cabelos são ondulados e têm a marca do ferro de frisar! Vossos dedos cintilam de anéis! E não tendes coragem de pôr os pés no chão com medo de afundar na lama dos caminhos onde pisam os outros cristãos! Nós queremos Martinho para bispo!

O homem aproxima-se dos prelados, observa-os, depois se vira para a multidão e grita:

— Báculo de ouro, bispo de pau! Báculo de pau, bispo de ouro!

Martinho abaixa a cabeça. Queria esquivar-se. Não quer esse cargo episcopal que teme não poder carregar. Ele é monge, eremita. Deus pode lhe ter dado o dom de curar, mas não é um dos prefeitos da Igreja, igual a Defensor, o bispo de Angers, não tem nada em comum com esses personagens vestidos de túnicas douradas.

Mas como escapar agora dessa armadilha preparada pela multidão de cristãos, como deixar esta nave, esta cidade de Tours?

Ele hesita. Se acreditou na farsa desse Rusticus, que inventou a doença da mulher para tirá-lo do eremitério de Ligugé, é porque Deus o fez ficar cego, é porque Deus quis que ele estivesse aqui, eleito pelo povo contra a vontade dos bispos da região.

Portanto, é preciso submeter-se.

Um vozerio feito de cantos, protestos, preces enche a igreja. Procuram pelo jovem clérigo que, durante a cerimônia, deve ler os versículos do saltério colocado num púlpito perto do altar.

Mas o clérigo não aparece. Talvez tenha sido retido pela multidão que desconfia do clérigo contrário a Martinho?

Alguém salta para o púlpito, pega o saltério, abre-o sem hesitação, e o vozerio cessa imediatamente.

O homem lê em voz alta:

— "Pela boca das crianças e dos lactentes, tu te tornaste glória por causa de teus inimigos, por destruíres o inimigo e seu *defensor*."

Ele se volta para o bispo de Angers e repete as últimas palavras com insistência:

— "Por destruíres o inimigo e seu *defensor*."

A multidão grita, agradece a Deus por este sinal que Ele acaba de dar, enquanto Defensor, o bispo de Angers, recua como se ele também fosse atingido por essa leitura, por essa escolha de Deus.

Martinho é aclamado. Ele é o bispo de Tours pela vontade de Deus.

Antonius reabre os olhos.

Com o ombro apoiado no batente da porta da biblioteca, o pai sorri com um ar de comiseração.

O rapaz queria sair dali, já pressente que Julius Galvinius vai atacá-lo.

— E o saltério abriu-se na página exata! — começa o ancião.

Aproxima-se de Antonius e ri, mostrando os dentes pequenos, amarelecidos e cariados.

— E o homem — prossegue — escolheu, leu, sempre guiado pelo acaso, o versículo que condenava Defensor, o malvado bispo de Angers.

Julius Galvinius põe a mão no ombro do filho.

— E você acredita nessa fábula e a repete!

Ele balança a cabeça e entra na biblioteca.

— Era preciso que Roma e o Império não passassem de ruínas para que Antonius, cidadão romano, herdeiro da gente Galvinius, fosse tão crédulo quanto o mais inculto dos bárbaros!

QUINTA PARTE

VINTE E SETE

Antonius Galvinius abaixa a cabeça.

A chuva gelada que voltou a cair, pesada, escorre-lhe pela nuca. Ele se arrepia.

Não queira ouvir mais a voz paterna. Mas suas palavras espocam como pedras de gelo das quais ele não consegue se proteger.

— Uma farsa! — grita Julius Galvinius.

A voz se sobrepõe à surda pancada da chuva nas telhas do átrio.

Antonius se afasta. As palavras o perseguem trazidas pelas rajadas do vento que sopra redemoinhando em volta das colunas, atirando o aguaceiro com violência sobre as pedras de mármore, levantando sua túnica cujas dobras lhe prendem as pernas.

Ele hesita. Deveria correr e fugir, mas prefere escutar.

— Uma farsa! — continua Julius Galvinius da soleira da biblioteca. — A eleição de Martinho para bispo de Tours é mais cômica do que a de um tribuno da plebe em Roma no tempo do imperador Nero.

Ironiza:

— Ler um versículo escolhido de antemão vale mais do que sondar as entranhas de um animal sacrificado? Em Roma, pelo menos, votava-se, ainda que os eleitores fossem comprados!

Dá um passo na direção de Antonius, mas estanca para se proteger da tempestade.

— De Roma, os cristãos guardaram apenas o pior. Destruíram a força do Império, condenaram as virtudes guerreiras, mas conservaram as máscaras do teatro. Os bispos são prefeitos sem o gládio. E, portanto, só podem conquistar e manter o poder unindo a ilusão e a mentira. Abraçam para melhor oprimir!

Ele entra novamente na biblioteca, vira-se.

— Prefiro os homens que têm a coragem de estrangular seus inimigos no Tullianum.

Antonius abre a boca, mas as palavras não saem. Como responder ao Demônio?

Ele atravessa em grandes passadas o pátio que o separa dos alojamentos dos escravos. Lá, pelo menos, não vê nem ouve Julius Galvinius. Volta para sua cela de chão de terra batida. Sente frio, tirita, encolhe-se. Apóia a testa contra a parede nua e úmida, igual às que Martinho escolheu para viver entre elas.

Contudo, logo depois de sua eleição para o episcopado de Tours, com todas as atenções e cortesias devidas a um prelado, os diáconos conduziram Martinho através das grandes salas do palácio episcopal onde Lidoire, seu predecessor, residia e recebia.

Eles lhe mostraram os baús repletos de vasilhas de prata, as tapeçarias e, sobre os ladrilhos de granito, os tapetes de lã do Oriente.

Abriram os armários, enfiaram as mãos por dentro das vestimentas sacerdotais para fazer sobressair os bordados de ouro e prata.

Ao cabo dessa vista e desse inventário, convidaram Martinho a se sentar numa das grandes cadeiras de madeira e couro trabalhados e se surpreenderam quando ele recusou.

Interrogaram Martinho: tudo isso não lhe era conveniente? Qual das salas ele escolheu para receber os visitantes, os bispos das cidades vizinhas, os proprietários dos domínios das margens do Loire, os enviados do imperador e o conde Avitianus, o nobre mais célebre da região de Tours?

Martinho olha ao redor.

— Eu sou apenas um monge — murmura.

Afasta-se devagar sem se preocupar com os cochichos dos que o rodeiam e o seguem, advertindo-o sobre ele ser um bispo, que ele agora tem novos deveres e, para a maior glória do Senhor, para instaurar sua autoridade sobre os fiéis, sua força ante o gládio dos guerreiros romanos ou bárbaros e a ignorância dos pagãos, ele precisa conferir o mais alto brilho a seu cargo episcopal.

— Minha única força — responde ele, continuando a andar — é minha fé; meu único poder é o que Deus me concede.

Ele atravessa a nave, pára, persigna-se e inclina-se diante do altar.

— Só tenho necessidade de uma coberta leve, de um banquinho e, sobretudo, de silêncio e solidão.

Ele escolhe um quarto anexo à igreja, de paredes caiadas e chão de terra batida.

— É aqui que vosso bispo vai viver — indica.

Depois, ele pede que os diáconos e os fiéis que o seguiram saiam do quarto, acrescentando:

— Não vivais em festins, em excessos de vinho nem de volúpias. Vivei em humildade.

Ele lhes sorri.

— Minha Igreja é da pobreza, da frugalidade e do silêncio.

E fecha a porta.

Martinho tem a impressão de que mal começara a rezar quando se faz ouvir um rumor que se aproxima e bate em sua porta.

Suplicam-lhe que abra. Dizem que um demônio se apoderou do corpo de um servidor numa casa perto da igreja.

Batem cada vez mais forte para incitá-lo a abrir. Mas nem sequer esperam que ele responda. Entram no quarto. Explicam-lhe que o homem, um cozinheiro, está igual a um cão raivoso.

Seguram e beijam as mãos de Martinho, puxam-no.

Conhecem os poderes dele, sabem que ele tem intimidade com Deus. Agora, que é bispo de Tours, tem de salvar esse possesso, devolver a paz a esse homem, à casa em que ele vive de onde fugiram o dono e todos os escravos. O demente já mordeu várias pessoas. Ele gesticula vociferando, de boca aberta, babando como um cão.

Como se esquivar?

Martinho vai até o meio da multidão que se lamenta e o leva até o pátio da casa.

Ele vê o possesso com as roupas rasgadas; a espuma escorrendo dos lábios entreabertos que deixam os dentes à mostra.

Martinho precipita-se para o furioso e ordena-lhe que cesse de berrar, ou melhor, de latir. Mas o homem avança, ameaçador.

Gritam que Martinho tome cuidado, o raivoso vai se atirar sobre ele, arrancar seu nariz, tentar rasgar sua garganta.

Por que recuar ou se defender quando se está a serviço de Deus?

Martinho estende o braço, enfia os dedos na boca do homem.

— Se tens algum poder, devora-os! — exclama Martinho.

Mas o furioso se desvia como se tivesse sentido um ferro incandescente na garganta.

Martinho sente escorrer sobre seus dedos a baba do homem que em seguida se contorce, pressionando o ventre com as mãos. O homem urra, o rosto deformado por um esgar. De repente, ele se agacha, solta seus excrementos que difundem um odor repugnante. Cai finalmente no chão sacudido por soluços, depois se acalma e parece dormir.

Todos acorrem. Levam o homem. Rodeiam Martinho. Celebram-no. Tocam-lhe. Abraçam-no. Glória a ele, o invencível soldado de Deus!

Martinho fica calado. Queria voltar ao silêncio de sua cela, à solidão de um eremitério. Mas como seria possível, quando já lhe suplicam que defenda a cidade contra os cavaleiros bárbaros? Mostram-lhe um homem que pretende ter visto os bárbaros, conhece os propósitos deles e berra que os ouviu declarar intenções de saquear Tours e massacrar seus habitantes.

É preciso interrogá-lo na igreja, descobrir, pelos olhos brilhantes, se esse homem também é um possesso.

— És o emissário do Diabo! — diz-lhe Martinho fazendo o sinal-da-cruz e impondo as mãos sobre sua cabeça.

Imediatamente o homem confessa que mente, implora perdão ao bispo. Diz que só queria assustar os habitantes, fazê-los fugir para melhor depenar suas casas.

A multidão quer castigar o possesso, já rasga suas roupas e começa a molestá-lo.

Martinho se interpõe, acalma a assistência. Depois, uma vez que o homem saiu da igreja sem incidente, ele pode voltar a sua cela.

— Deus — ele murmura —, tenho necessidade de silêncio para ouvir-Te e Falar-Te!

Alguns dias mais tarde, ele foge de Tours, da multidão de lamurientos, de pedinchões, de possessos, que todos os dias vêm suplicar-lhe e o impedem de se recolher. Eles invadem seu espírito, espicaçam o seu corpo como pássaros famintos que bicam repetidamente o grão desde a semeadura até a colheita.

Ora, se ele quer dar aos outros, primeiro precisa colher, armazenar. Mas esses aí, depois que passam, só deixam um campo devastado.

Martinho caminha para fora da cidade. Segue os meandros do Loire e a cada passo que dá conforta-se com a decisão que tomou.

Nessa natureza despovoada, ele se sente como o elo vivo entre Deus e os homens.

Levanta a cabeça para o céu percorrido por grandes nuvens brancas e descobre, baixando os olhos, a alça de uma curva dominada por uma falésia crivada de grutas.

É ali que ele quer viver, ou melhor, rezar.

Se outros solitários quiserem unir-se a ele para constituir uma comunidade de silêncio e fé, pois que Deus os guie até ele com o intuito de criar um grande mosteiro: Marmoutier.

Martinho começa a subir a falésia feita de estreitas plataformas onde, se as grutas não forem suficientes, poderão construir abrigos de pedra ou de madeira, já que a floresta muito próxima recobre as margens e as vertentes.

Os que escolherem o recolhimento longe dos rumores vão se despojar de todos os seus bens.

— Que, no silêncio, tudo nos seja comum!

Cada um morará sozinho em sua gruta ou seu abrigo; só se reunirão para rezar. Os mais jovens copiarão os Livros sagrados para que cada um possa dispor dos textos da Escritura.

Assim, cada um seguirá seu próprio caminho para Deus.

Martinho entra numa gruta de paredes gredosas.

Ele é o bispo de Tours: Deus e os fiéis o quiseram.

Mas será monge ali, em Marmoutier.

VINTE E OITO

Martinho cruza os dedos na frente dos lábios. Está de pé, um pouco curvado, na entrada da pequena igreja de Marmoutier, que acaba de ser construída no pé da falésia, onde vai celebrar a primeira missa.

Ele vê chegarem os monges que vivem nos pequenos abrigos de pedra e madeira ou nas grutas cavadas na rocha calcária.

Ele conhece cada um.

Um deles é um veterano, ex-centurião de uma legião imperial. O homem fora casado, mas preferiu a prece, a abstinência e o recolhimento. Depois, um belo dia, ele pediu permissão para a mulher vir encontrá-lo em Marmoutier. Explicou que ela também vivia na fé, entre mulheres que decidiram retirar-se do mundo. Por que, desde então, ela não o seguira até ali? Ele queria apenas ter sempre o consolo de conversar com ela. Jurava que não recairia nos velhos hábitos do casamento. Tornara-se soldado de Cristo. Ela também prestara juramento na mesma milícia. Ambos haviam renunciado aos prazeres da carne pelo mérito da fé. Martinho devia compreender o que ele sentia, o desejo que formulara.

Martinho observou-o demoradamente.

— Diz-me — respondeu-lhe —, nunca estiveste na guerra? Já te encontraste num exército enfileirado em ordem de batalha?

O homem citou todos os combates de que participara.

— Nesse exército — continuou Martinho — viste alguma vez uma mulher em pé combatendo nas fileiras? Só os bárbaros pagãos confiam um gládio a suas mulheres. Um exército se torna desprezível quando uma multidão de mulheres vem se misturar à coorte dos homens. O soldado deve combater em sua fileira no campo de batalha; a mulher deve ficar atrás dos muros das fortificações. Ela também tem seu título de glória se conservar a castidade na ausência do marido. Sua primeira virtude, sua virtude suprema é não ser vista.

O velho centurião enrubesceu. Agradeceu a Martinho e refugiou-se em seu abrigo para rezar.

Martinho segue-o com os olhos enquanto ele toma lugar entre os outros monges diante do altar.

São oitenta. Eles caminharam durante semanas e até meses para chegar a Marmoutier. Cruzavam sempre com as longas filas de camponeses que levavam seus ídolos e iam celebrar os cultos pagãos de Mitra ou de Cibele nos santuários. Viram quando se reuniram ao redor de árvores e fontes sagradas.

Chegando a Marmoutier, eles chamaram a atenção para o fato de que nas florestas e nos campos, em todas as regiões que atravessaram, os cristãos não passavam de uns poucos, como minúsculas faíscas brilhantes sobre um solo negro. E quando quiseram pregar foram apedrejados, corridos a pau e alguns morreram.

Agora eles rezam em Marmoutier, e Martinho os observa.

Ele adivinha a magreza dos corpos sob as túnicas de pêlo de camelo que irritam a pele. Alguns usam vestimentas de lã cinzenta. Todos têm os pés nus calçados em sandálias. Tanto parecem mendigos famintos quanto monges. Mas os que abandonaram seus domínios, suas riquezas, seus tapetes macios precisam conhecer a pobreza. Em Marmoutier, eles têm de enfrentar o vento e a chuva, aceitar o frio e a fome. Às vezes, dispõem, em suas grutas, de um pequeno fogareiro onde alguns pedaços de carvão vegetal são consumidos em brasas.

Mas o carvão é raro. Nas grutas e nos abrigos, eles tiritam de frio.

Martinho inclina-se. Está reconhecendo aquele monge ali, na última fileira: esse irmão introduziu-se um dia no refúgio dele, Martinho, sentou-se diante do forno onde os carvões ainda ardiam. Abriu as pernas, expôs o baixo-ventre nu ao calor. Martino entrou e surpreendeu o profanador.

— Quem está sujando minha morada com o ventre nu? — gritou.

O monge então confessou seu despudor e pediu indulgência.

Martinho aproxima-se do altar.

Eles são assim: monges e homens, engrandecidos pela fé e pela prece, mas sujeitos a todas as tentações e, às vezes, também eles possuídos pelos demônios.

Sentem fome; desejariam comer mais e mais gordura. Sentem frio; desejariam vestir-se de lã boa e quente.

Estão espantados: por que Martinho recusa o lingote de prata que lhe traz o antigo vigário Lycontius, se expulsou a epidemia da casa desse homem rico? Curados, os escravos de Lycontius, que se contorciam de dor, levantaram-se e voltaram ao trabalho. Os demônios foram banidos da casa, mas isso custou sete dias de jejum e preces a Martinho. Então, por que ele se indignou quando Lycontius depositou o lingote de prata em sua gruta?

Marmoutier é pobre demais para rejeitar um presente assim, insistem os monges. Sentem fome, faltam vestimentas.

Mas Martinho balança a cabeça.

— Cabe à Igreja nos alimentar e nos vestir. Não devemos juntar nada para nossas necessidades. Oremos.

Ele sente todos os olhares voltados para si. Precisa dar o exemplo, obrigar-se a sofrer mais frio e fome do que os outros. Continuar a se vestir como o mais pobre dos andarilhos, às vezes percorrer os caminhos em lombo de burro, como um humilde mercador, mas quase sempre a pé, tal qual um mendigo. E vigiar o tempo todo para não sucumbir às tentações, à vaidade e ao orgulho.

Assim, Martinho é informado de que o prefeito Vincentius, o homem mais poderoso de todas as Gálias, pede para ser recebido em Marmoutier para jantar com o bispo de Tours, o tal Martinho fazedor de milagres. Vincentius faz saber que Ambrósio, bispo de Milão, convida regularmente cônsules e prefeitos a sua mesa. Por que Martinho não segue o exemplo desse santo homem?

Martinho recusa. Explica que não passa de um pobre monge, um bispo de báculo de pau e não de ouro. Uma gruta é seu palácio. Um punhado de grãos, toda sua refeição.

Ele volta para sua gruta e se fecha.

Seu refúgio será pecado de orgulho? Ele reza. Espera. Às vezes tem a sensação de que alguém se aproxima, que alguém lhe fala.

Na penumbra ele entrevê os rostos: o de Maria, o de Pedro, o de Paulo, os de outros santos. Ele se ajoelha, abaixa a cabeça. As vozes se elevam, mais altas. Ele pergunta:

"Agi certo ao me recusar a receber o prefeito Vincentius em Marmoutier?"

"Agi certo ao destinar o lingote de prata ofertado por Lycontius ao pagamento da liberdade de diversos cativos, em vez de guardá-lo para os monges de Marmoutier?"

"Agi certo ao exigir dos que escolheram viver a meu lado, em Marmoutier, que não conheçam outras alegrias senão as que a prece lhes dá?"

As vozes o tranqüilizam, afastam-se, desaparecem.

Martinho também sente às vezes uma presença hostil. Ele reconhece o vulto dos deuses pagãos Mercúrio e Júpiter que o atazanam e aos quais ele responde erguendo a voz, gritando que eles não passam de ídolos e a esse título logo serão derrubados sem deixar rastros nas memórias.

Tem a impressão de que esses rostos da ignorância e da superstição se aproximam. Brandindo o punho, ameaça-os. Não foi soldado em vão. Ele não recuará, há de expulsá-los de sua gruta.

Ouve murmúrios. São monges que ouviram ruídos de luta, ruídos de vozes e ficaram inquietos.

Martinho sai e os tranqüiliza.

Os monges o rodeiam, e o interrogam. Eles o ouviram falar: com quem ele conversa assim quando está só? E esses estalos, esses baques que fazem pensar num corpo-a-corpo, de onde vêm?

Martinho hesita, mas, como os monges repetem a pergunta, ele murmura afinal:

— Falo com os apóstolos Pedro e Paulo. Falo com Maria. Eles vêm aqui. Eu os escuto. Às vezes, porém, são os demônios e os deuses pagãos que se metem em minha morada e tenho de combatê-los, expulsá-los daqui.

Alguns monges exclamam admirados, ajoelham-se, demonstram veneração, mas, nos olhares de outros, Martinho adivinha irritação e até incredulidade.

Ele se afasta. Talvez, inconscientemente, os homens se deixem penetrar pelos demônios da inveja e da dúvida.

Na noite anterior, ele teve de repreender um desses monges, Brício, que, depois de ter morado em Marmoutier, passou a viver em Tours, numa grande casa rodeado de escravos. Dizem que Brício compra moças e rapazes bárbaros, adestra cavalos, vive no luxo e na voluptuosidade. Comporta-se como um desses clérigos que agora ocupam o lugar dos prefeitos e dos cônsules e desejariam que a Igreja se tornasse a viga mestra do Império para extraírem, em proveito próprio, glória, lucro, prazer, honrarias e subvenções como senadores de Deus e do imperador!

Brício rebelou-se contra as reprimendas de Martinho. Os monges contaram que, ao deixar o monastério, ele gritou para um camponês que pedia para ser recebido pelo bispo de Tours a fim de se curar dos males que o afligiam:

— Se é o delirante que procuras, olha: lá está ele, como de costume, fitando o céu de esguelha feito um demente!

Para Brício e talvez para outros mais, bispos e clérigos, e todos os seus rivais interessados em vestimentas bordadas a ouro, ávidos de autoridade e prestígio, Martinho é louco.

Ele se senta no pequeno pátio ao lado de sua gruta. Dali de cima, ele abarca os meandros do Loire, os ressaltos da falésia, os abrigos dos monges.

As vozes sobem até ele multiplicadas pelo eco. Reconhece a voz áspera de Brício. Quer dizer que o monge voltou.

Ele refuta as reprimendas que lhe infligiram na véspera. Grita que cresceu no meio dos ensinamentos sagrados da Igreja. Ao passo que Martinho, ao contrário, espojou-se durante anos na sordidez e na indecência da vida militar. Quem o absolveu? Com certeza foi o Diabo que o transformou em bispo, pois um ex-soldado poderia sê-lo? E continua: olhem para ele agora, é quase tão supersticioso quanto um pagão! Afirma receber a visita dos apóstolos e de Maria e de Jesus Cristo, eles mesmos, em pessoa! Ridículas fantasmagorias, ilusórias visões! Martinho é vítima de sua loucura ou será que os demônios venceram? A não ser que ele esteja mentindo.

A voz de Brício enfraquece. Ele se distancia. Ainda lança:

— Martinho está velho! É presa de suas extravagâncias senis!

Martinho o vê caminhar apressado, seguido dos escravos, pela estrada que margeia o Loire.

Brício pára freqüentemente, vira-se para Marmoutier, brande o punho, atira algumas palavras, novos impropérios, acusações que se perdem em parte na bruma desse entardecer.

Martinho ajoelha-se. É preciso perdoar.

Alguns monges chegam ao pátio. Hesitam, não ousam contar o que Brício proferiu. Espantam-se com a calma e a indulgência de Martinho.

— Rezo por Brício — murmura ele.

Não pretende se defender. Não quer condenar um homem que o ataca.

Que a prece sozinha faça seu ofício, e o arrependimento atormente Brício!

Martinho vai ao encontro dos monges e os convida a rezar.

— Se o Cristo suportou Judas, posso muito bem suportar Brício — diz a eles.

VINTE E NOVE

— A gente de sua seita... — começa Julius Galvinius erguendo as mãos acima da cabeça num largo gesto de indignação. Ele percorre o terraço rapidamente e fica dando voltas em torno de Antonius, que, parado, cruza os braços e fecha os olhos.

— Os cristãos — continua o ancião com um muxoxo de desprezo — contentam-se com um comedor de ervas, um alucinado, um demente, e é um sacerdote cristão, você mesmo o citou, Brício, que falou assim de Martinho...

Antonius balança a cabeça, interrompe o pai, frisa que o próprio Brício, quando proferiu esses insultos, estava possuído pelo demônio e, ao se dar conta de que fora apenas o porta-voz do Diabo, logo se arrependeu. Ele voltou a Marmoutier, ajoelhou-se diante de Martinho e implorou seu perdão. Martinho lhe concedeu. Brício agora é bispo de Tours, sucessor de

Martinho. Mandou construir uma basílica para o sepulcro do santo homem, e peregrinos de toda a Gália, até do Oriente, vão tocar a pedra tumular e ali se recolher.

Julius Galvinius segura firme o braço de Antonius, sacode-o.

— Vocês têm duas caras! — exclama ele. — Aquele que não ama o vinho nem as mulheres, que martiriza o próprio corpo como para se punir por viver, que recusa o calor de um bom fogo ou de uma vestimenta de lã quando faz frio, um gole de água fresca quando o sol queima e, embriagado de sementes venenosas, afirma que ouve e vê seu deus e os apóstolos, esse vocês tornam santo para atrair e converter a multidão de ingênuos e de pagãos.

Julius Galvinius solta o braço do filho e explica que todos os povos têm seus loucos, seus feiticeiros, seus sacerdotes, seus mágicos. Já viu bárbaros de pés nus dançarem sobre brasas, outros rirem quando lhe decepam a mão, o nariz ou as orelhas, ou quando lhes furam os olhos. Eles também pretendiam ter sido escolhidos pelos deuses para testemunhar sua força e eram, como os mártires cristãos, tão indiferentes à dor que todo mundo estava pronto a segui-los e adotar suas crenças.

O ancião aproxima o rosto do de Antonius.

— Martinho era um alucinado, como esses feiticeiros ou sacerdotes dos cultos pagãos! Sulpício Severo conta que até o viu confundir um cortejo fúnebre de camponeses que enterravam um familiar com uma procissão de idólatras que celebravam o culto de algum deus pagão.

— Você não sabe nada! — insurge-se Antonius.

Ele se dirige para o pai. Precisa responder, combater o demônio que entrou no corpo do ancião.

Antonius persigna-se, e Julius Galvinius berra imediatamente como se tivesse sido ameaçado, fustigado, ferido.

— Mas vocês têm outra cara que não a dos alucinados — recomeça o ancião —; é a dos homens que vocês chamam santos e apresentam aos humildes para seduzi-los. E, por outro lado, vocês se aliam aos poderosos deste mundo! Tornaram-se, vocês mesmos, poderosos! Ofereceram a carne e o vinho, as mulheres e o ouro aos que aceitavam ser seus clérigos, seus bispos. Vocês são ao mesmo tempo o alucinado e o prefeito, a palavra do louco e o gládio do senhor. Esse Brício, quem é ele?

Julius Galvinius dá uma risadinha irônica e fala:

— Aí está um homem que não é notável nem por sua obra nem por sua virtude. Martinho o recebeu em Marmoutier. Brício aprende depressa. Dá todas as provas que lhe pedem. Por um tempo, o tanto que lhe for preciso, só come ervas como os outros monges. É o mais assíduo, o mais devotado, o mais hábil. Tornam-no clérigo. Imediatamente, ele deixa Marmoutier. Instala-se em Tours. Os cristãos têm necessidade de um homem feito ele para representá-los, para falar com prefeitos e cônsules, com o conde Avitianus, que dita a lei na cidade. Martinho está magro. Brício engorda. Adquire o prazer de ser reverenciado. Infla de orgulho com as visitas que recebe e ele mesmo se exibe em toda parte. Antes, costumava ir a pé ou em lombo de burro; agora é puxado por dois cavalos que espumam de suor. Até há pouco, em Marmoutier, ele se contentava com uma cela pequena e pobre como habitação; agora, manda erguer tetos altos revestidos de madeira, decorar muitos aposentos, esculpir portas, pintar armários. Desdenha as vestimentas grosseiras, cuida de se vestir com tecidos macios.

Julius Galvinius se interrompe como se não pudesse mais continuar tanto a ira e o desprezo endurecem sua voz e lhe apertam a garganta. Ele tosse, cospe. Acrescenta, contudo:

— Martinho de um lado, Brício do outro, vocês são o deus Jano. E — ele encosta o indicador no peito de Antonius — você sabe que Brício e todos os bispos iguais a ele que odeiam Martinho, o demente, mas o utilizam, apresentando suas alucinações como provas da existência do seu deus, gostam de viver rodeados de mulheres? Será que fornicam com elas? Por que não o fariam? Em todo caso, todos cobram dízimos das viúvas que eles gostam de receber e consolar, e aconselham as jovens virgens que ouvem em confissão. Brício, você disse, comprava moças e rapazes para serem seus escravos. Você acredita que ele só os utilizava para lhe servirem vinho?

O ancião ergue os braços novamente.

— E esse Brício é o sucessor de Martinho como bispo de Tours! — exclama. — Para que Brício governasse era preciso que Martinho convertesse e iludisse. Na sua seita, o fazedor de milagres é como um cão de tropa que instiga os carneiros a se juntarem ao pastor mitrado. Martinho late, Brício tosa e ordenha. Martinho alimenta-se de plantas que o enlouquecem, Brício prefere a boa carne.

Julius Galvinius dá um tapinha nas costas do filho.

—Jano: eis o verdadeiro deus da sua seita cristã. A não ser que o bispo que detém o gládio, o bispo comedor de carne, vença o alucinado! É isso.

Antonius recua, esbarra na balaustrada do terraço, apóia-se nela com as duas mãos, agarra-se como se temesse ser jogado no vazio por Julius Galvinius.

— Martinho é o verdadeiro rosto de nossa fé! — protesta.

Ele desvia os olhos. Quer olhar para longe, para a orla de ciprestes que se destaca no horizonte vermelho do crepúsculo.

— Cem testemunhas atestam os milagres realizados por Martinho — continua ele. — Bastou que ele erguesse a mão e pronunciasse uma frase para expulsar o demônio que possuíra uma vaca que se tornara furiosa e já havia matado vários camponeses a chifradas. E todo mundo viu quando, uma vez libertada, ela se prostrou diante de Martinho e foi-se juntar ao rebanho. Um dia, diante de uma multidão, ele conseguiu que uns cães, já prontos a estraçalharem uma pobre lebre, não lhe enfiassem os dentes. Da beira de um rio ele deteve uma serpente que nadava em direção à margem. Pronunciou estas simples palavras: "Em nome do Senhor, ordeno-te que voltes!" E o bicho viscoso afastou-se imediatamente! Ele fez calar um cão cujos latidos encobriam as vozes dos monges que rezavam e os impedia de se recolherem. Dessa vez também bastou uma frase. De outra feita, num dia de Páscoa, ele fez surgir nas vagas do Loire uma enorme truta, ao passo que Caton, o administrador de Marmoutier e exímio pescador, estava desolado porque não conseguiu pegar nada com sua rede, nesse dia de festa em que Martinho os autorizara a comer peixe.

Quem pode negar o que tantos olhos viram, o que tantas orelhas ouviram? E, depois de ter presenciado esses prodígios, alguém pode não acreditar quando Martinho diz: "As serpentes, os cães, os peixes me ouvem, mas os homens são freqüentemente surdos?"

— Se sua credulidade não me acabrunhasse tanto — diz Julius Galvinius dando os ombros —, eu não acabaria mais de rir. Eu o fiz ler os autores gregos, mas você parece ter esquecido que os deuses deles, os nossos, realizavam milagres bem mais extraordinários do que esses que você me relata. Acalmar uma vaca que dá chifradas, você acredita que isso seja suficiente para alguém acreditar na existência do deus dos cristãos? Zeus e seus companheiros do Olimpo, esses, sim, são deuses poderosos! Se meu espírito se inclinasse à crença, é a eles que eu honraria, não a um desses mendigos cristãos cuja pobreza serve aos apetites de glória e riqueza dos Brícios que governam sua Igreja!

O ancião dá alguns passos e ataca:

— Jano: ilusão e mentira, mágica e credulidade, eis a sua seita! Quanto a mim, Julius Galvinius, eu creio no gládio, creio no prazer, no corpo da mulher, e creio na morte!

Chega mais perto do filho.

— Creio na morte, sim — repete —, creio em minha morte eterna!

Ele tem o rosto ossudo, as faces encovadas, a pele acinzentada.

— Eu creio na ressurreição! — retruca Antonius Galvinius.

Sua voz treme. Ele sente sob os dedos a pedra lisa da balaustrada e esfrega ali as palmas das mãos.

— Porque creio na caridade — acrescenta sempre a meia voz. — Porque creio em um Deus de bondade.

TRINTA

Ainda apoiado na balaustrada, Antonius esfregou as palmas das mãos na pedra e na aspereza da beirada com tanta força que sua pele ficou ardendo.

— Eu creio na ressurreição porque Martinho prova que a bondade existe!

Ele fala depressa para não deixar que o pai o interrompa.

— Uma manhã, na entrada da igreja de Tours onde foi dizer a missa, Martinho vê um homem nu, tal como o de Amiens, aproximar-se dele. O frio é tão intenso que o céu parece branco e vazio. O homem tirita tanto que os ombros e as mãos se sacodem em movimentos convulsivos. Ele se atira aos pés de Martinho. Diz que tem necessidade de roupa, pois como poderia sobreviver com esse único pedaço de pano que lhe cinge os quadris?

"Martinho chama o arcediago, um desses clérigos atarefados que cuidam sobretudo de abarrotar a igreja como quem enche a pança, e pouco importa o que se engole desde que a nave e a barriga estejam repletas. Pouco importa o que aconteça depois! Martinho mostra-lhe o homem nu; ordena que lhe dêem roupas. Depois vai à sacristia onde sempre espera ficar sozinho para rezar, deixando aos outros clérigos o encargo de receber os pedintes.

"De repente, a porta se abre, o pobre está ali, ainda nu. Chorando, ele diz que não lhe deram nada. Que vai morrer aquela noite mesmo. Acreditou na palavra de Martinho. Disseram-lhe que ele era um santo homem. Mas quando se é bispo, quando se vive bem aquecido, pode-se lá se preocupar com o pobre que sente frio?

"Martinho o afasta. Já havia vestido a sobrepeliz. Ele a suspende, despe a batina e a estende ao pobre.

"— Vai — diz ele ao pobre.

"E volta a rezar. O frio o envolve, está nu sob a sobrepeliz. Eis que o arcediago avisa-lhe que os fiéis o aguardam na igreja: Martinho tem de ir até o altar para celebrar a missa. Nu sob a sobrepeliz?

"— E a roupa destinada ao pobre? — pergunta Martinho.

"O arcediago engrola as palavras, sai, vai correndo comprar a roupa mais áspera, mais grosseira, por cinco moedas de prata. Ele a joga na sacristia resmungando que o pobre já se foi embora.

"Martinho apanha essa túnica reles e se esconde para vesti-la. Agora pode se ajoelhar diante do altar, dizer a missa e pregar, não do alto do púlpito, a isso ele se recusa, mas no meio dos fiéis."

Antonius Galvinius cala-se por alguns instantes, depois murmura:

— Aí está por que eu creio na ressurreição. Se um homem pode ser bom, então a morte não poderia vencer em nome do mundo. Há de vir um dia em que a bondade a vencerá. Eu creio na Vida eterna!

O jovem ficou surpreso com a brusquidão com que Julius Galvinius atirou-se sobre ele, agarrou-lhe o pulso e, abrindo a própria túnica, obrigou-o a pôr a mão no peito nu e sentir sob os dedos a pele enrugada, os pêlos grisalhos, os ossos mal cobertos.

— Diga-me o que é a bondade ainda, quando o corpo está corroído pelo tempo. Escute, escute...

O ancião obriga Antonius a se curvar e encostar a orelha em seu peito.

— Ouve como meu coração hesita? É a ele que eu escuto e não as suas fábulas! Ele já não bate na mesma cadência. Bate rápido, de repente, vagaroso, e perco o fôlego. E você vem me falar de Martinho, o misericordioso, e de seu deus de bondade?

Ele entra na êxedra, enquanto a escuridão da noite ocupa o terraço e o parque.

TRINTA E UM

Antonius Galvinius estremece.

Na penumbra da êxedra ele percebe o vulto do pai rodeado de escravas que vão e vêm.

Trazem lâmpadas que iluminam o salão.

Julius Galvinius está debruçado, as duas mãos espalmadas no peito como se quisesse conter as batidas do coração.

O filho tem a impressão de que jamais poderá esquecer os solavancos dessa engrenagem oculta que gira irregularmente entre as costelas do velho.

Ele vai até a soleira da êxedra. O pai o observa. Iluminados pelas chamas oscilantes das lâmpadas colocadas nos nichos abertos na parede atrás dos leitos, Julius tem o rosto abatido, os olhos mortiços.

Onde está o combatente raivoso de há poucos instantes?

Antonius é tomado de medo e angústia. Sente um nó na garganta. Como preferia a voz e a energia do Diabo a esse silêncio, a essa resignação cansada!

Ele se aproxima.

De repente, tem a impressão de que os olhos de Julius Galvinius se desviam como para dissimular a verdade. Essa aparente submissão não seria um novo ardil do demônio?

— Martinho — deixa escapar Antonius — sabia desmontar as armadilhas do Diabo...

O pai parece não ouvir. Com um gesto de mão, pede que uma escrava ajeite as almofadas, que traga uma ânfora de vinho.

Antonius hesita. Está comovido outra vez com os movimentos vagarosos do pai que se senta e se deita em seguida, sempre com as mãos no peito.

O rapaz puxa o tamborete que está diante da lareira, coloca-o perto do leito e senta-se.

— Que armadilhas? — murmura Julius Galvinius.

Ele abre os braços, semicerra os olhos.

— Conte-me! — acrescenta.

Antonius hesita. Com a ponta dos dedos o pai acena para que ele fale.

— É preciso oferecer sua própria vida aos outros — começa Antonius. — Assim, você a salva...

O ancião fecha os olhos, deixa a cabeça pender sobre o peito.

— Martinho... — começa Antonius.

É noite. A umidade que o sol de inverno conservou durante todo o dia difunde-se com a escuridão, impregnando as pedras, e Martinho escorrega a todo instante nas pedras que revestem as ruelas de Tours.

Ele anda depressa. A bruma que sobe do solo pelas fachadas encobre os muros do palácio do conde Avitianus, aonde ele se dirige, e abafa o ruído de seus passos.

É uma residência rodeada de fossos. Só se tem acesso por uma ponte estreita cercada de correntes. Os muros altos, guarnecidos de ameias, sobrepujam os telhados das casas de Tours como para afirmar o poder do tirano Avitianus. Ele domina e tortura, mata a seu bel-prazer. Ele rouba, viola, submete a vida de todos a seu próprio capricho. Afirmam a meia voz que ele gosta de beber sangue humano, que vai aos subterrâneos do palácio para ver os prisioneiros sofrerem os suplícios que seus carrascos infligem. Ele exige que sejam degolados diante dele para recolher o sangue morno e adocicado que jorra das artérias.

Ninguém ousa se aproximar de seu palácio. Alguns moradores de Tours até abandonaram a cidade de tanto que o temiam.

E Martinho segue sozinho pela noite gelada. Alguém foi procurá-lo em Marmoutier, no meio da noite, para lhe contar que viu uma fila de prisioneiros acorrentados passando pelas ruas de Tours. Segundo os homens de Avitianus que os escoltavam, o conde decidira mandar matá-los a começar da manhã seguinte.

— Ele é uma besta-fera — repetia o mensageiro a Martinho. — Esses prisioneiros não passam de camponeses que ele capturou como se fossem caça, mas são mais inocentes do que as lebres, e o conde vai esfolá-los com as próprias mãos, pelo sangue e pela pele deles! Pois não dizem que ele manda curtir a pele dos humanos porque acha que são mais finas e macias que a dos porcos? Deus permitirá essa barbaridade?

Martinho pôs-se a caminho e lá está ele agora diante da ponte que dá acesso ao palácio dos fúnebres suplícios. As portas estão fechadas. A noite é uma muralha compacta que protege essa fortaleza sangrenta.

Mas ele tem de salvar os prisioneiros apinhados nos subterrâneos do palácio.

Martinho se ajoelha.

Precisa rezar para que o conde Avitianus seja invadido pelo medo apesar das defesas do palácio. É preciso que ele saiba que o olhar de Deus atravessa todos os obstáculos. É preciso que ele acorde com a angústia do castigo, que venha pessoalmente abrir as portas e se curve ao poder de Deus.

E, se ele chegar a erguer o gládio, que seja o que Deus quiser!

* * *

Antonius Galvinius interrompe a narrativa e repete:

— É preciso oferecer a própria vida para salvá-la.

Julius Galvinius não se mexe. Será que ele ouviu?

O filho se debruça. A respiração tornou-se mais instável. Antonius tem a impressão de que pelos lábios exangues de seu pai, apenas entreabertos, só passa um tênue sopro entrecortado de vez em quando por uma fraca tosse convulsa, como se o ancião, com as narinas apertadas, não mais conseguisse inspirar, somente expelir o ar, a vida.

— Eu rezo por você como Martinho rezou por Avitianus — murmura Antonius.

E acrescenta que, naquela noite, o conde acordou várias vezes. A cada vez, ele acreditava ouvir uma voz repetir que um homem, enviado de um poderoso senhor, estava em sua porta esperando ser recebido. Avitianus chamou os empregados para que fossem verificar. Mas, na escuridão, eles não distinguiram o vulto prosternado de Martinho. Por fim, espicaçado pelos sonhos, Avitianus foi, ele mesmo, abrir a porta e reconheceu o bispo de Tours.

Julius Galvinius soergue-se apoiado nos cotovelos.

— E o bebedor de sangue, o tirano, a besta-fera não partiu a cabeça de Martinho? Pelo contrário, não é? Ele entregou as armas, implorou o perdão do bispo e do seu senhor Jesus Cristo. Jurou que seria justo e bom no futuro, porque temia a cólera celeste! E que tinha medo de ser fulminado, consumido por ela!

Ele suspira e é como se a pressão que lhe pesava no peito cedesse. Começa a respirar de modo mais regular.

— De modo que o conde libertou os prisioneiros e fugiu da cidade de Tours!

Ele vira um pouco a cabeça para o filho, mas sem se dar ao trabalho de abrir os olhos.

— Conte-me isso, Antonius — murmura com voz branda —, para que seus sonhos continuem a embalar minha noite.

Mas, de súbito, Julius Galvinius leva as mãos ao peito, deixa cair a cabeça nas almofadas. Seu rosto parece então mais emaciado, o corpo mais descarnado ainda.

TRINTA E DOIS

Antonius Galvinius joga-se para trás tão vivamente que derruba o tamborete em que estava sentado. Sente as mãos paternas empurrarem seu peito, à medida que o pai se levanta do leito.

— Você pensava que eu estava morto — berra o ancião —, mas estou bem vivo! E não é o seu deus que me faz viver, é a raiva e a vontade de lutar contra as mentiras de sua seita.

Antonius geme ao cair no chão com todo o peso. Seus cotovelos batem no solo e ele tem a impressão de que todo o seu corpo está rachado, fragmentado. Vê Julius Galvinius levantar-se do leito, o rosto purpúreo, a respiração cavernosa. É um animal furioso. O Diabo devolveu-lhe a força.

O rapaz restringe-se a não se mexer enquanto o pai arrota debruçado sobre ele:

— Você crê que só a prece basta para desarmar essa besta-fera, esse conde Avitianus? Eu o deixei dizer...

Julius Galvinius afasta-se alguns passos e vira-se para Antonius, que ainda está sentado no chão.

— Entre o seu monge-bispo, o santo homem, e o tirano havia um pacto, uma aliança!

O ancião balança a cabeça e alça nervosamente os ombros.

— Para vocês, o Diabo é também um aliado cômodo. No dia em que querem combater um homem, vocês dizem que ele está possuído pelo Diabo. E quando resolvem selar a paz, alegam que expulsaram o Diabo, e o homem em questão quer se tornar seu irmão. Martinho agiu assim com Brício, o corrupto, depois com Avitianus, o bebedor de sangue humano.

Julius Galvinius agacha-se ao lado do filho. E insinua que Martinho já visitara o conde várias vezes, que benzera as garrafas de óleo que a esposa do conde lhe enviava com esse fim.

— Uma das esposas... — corrige com uma risadinha irônica.

E continua, dizendo que, dessa maneira, Martinho pretendia expulsar os demônios do palácio fúnebre. Aos efeitos do óleo ele acrescentava os de seu próprio hálito. E quando o conde se espantava: "Por que, santo homem, por que me tratar assim, soltar seu bafo na minha cara?", Martinho respondia que só atingia o Diabo.

— Você sabe o que ele declarou a Avitianus? — pergunta o ancião, erguendo-se e afastando-se alguns passos. — Ele disse: "Não és tu o meu alvo e sim o infame que pesa em teus ombros. E eu o expulsei!" Conveniente, cômodo! Assim, Avitianus torna-se um aliado, e seus homens armados podem ser utilizados para perseguir, escorraçar todos os pagãos, e são inúmeros, que ainda se recusam a crer nesse Senhor Jesus Cristo.

O corpo de Julius Galvinius é sacudido por bruscos movimentos espasmódicos, como se um demônio se agitasse dentro dele na pressa de proferir insultos, de atormentar Antonius, que não se mexeu nem piscou.

— Martinho vai pelo campo em lombo de burro ou a pé, mas é seguido por sua coorte de monges e soldados, de soldados, sim, ainda que o próprio Sulpício Severo relate e você acredite... que são anjos vestidos de armaduras!

Ele ergue os braços para o céu.

— Anjos? Fábulas, farsas, mentiras! — grita.

Ele fala cada vez mais alto, cada vez mais rápido. As palavras às vezes se atropelam e o velho balbucia.

— Martinho persegue todos os que pretendem se manter fiéis às próprias crenças. Não há uma fonte ou uma árvore sagradas, um pinheiro dedicado a Cibele, um santuário devotado ao culto de Mitra, uma torre encimada pela estátua de um dos nossos deuses, que a gente dessa sua seita cristã chama de ídolo, não há um túmulo em memória de um sacerdote pagão que Martinho não queira conspurcar ou destruir. Ele ordena que os templos pagãos sejam demolidos, que sejam incendiados, se necessário, e quando os pagãos resistem e o ameaçam com um machado ou uma faca, os anjos — Julius Galvinius ironiza —, os famosos anjos o protegem, derrubam o pagão e arrancam-lhe a arma. Esses anjos, Antonius, são soldados, esbirros do sangrento bárbaro Avitianus, aliado de Martinho, visto que foi este quem lhe expulsou o Diabo do corpo. Depois disso, Martinho tem todas as facilidades para construir igrejas sobre as ruínas dos templos e santuários que destruiu, e novas paróquias em Amboise e Candes, em Tournon e Cinan, em Langeais e Saunay e outras mais nos arredores de Tours e até na Gália como um todo. Um grande missionário esse Martinho, só que um missionário armado que enfia a fé na cabeça dos pagãos, ameaçando-os com o gládio. E espancando, se for preciso!

Antonius dá um salto.

— É o Diabo que fala por sua boca! — desfecha ele. — A única arma de Martinho era a prece. Ele era soldado de Cristo, e o Senhor Jesus Cristo é quem o protegia e escorraçava os assassinos que se encarniçavam contra ele. Deus é que afastava a árvore sagrada que, segundo diziam, iria esmagá-lo. Foi o Altíssimo que desencadeou as tempestades para derrubar a torre pagã que os homens se recusavam a destruir. O Diabo mente, e você divulga suas mentiras! Tome cuidado: ele o abandonará. Seu corpo ficará murcho, você vai virar pó...

* * *

Julius Galvinius se aproxima e, de repente, Antonius acha que o pai pode chegar a feri-lo, até a matá-lo, tal a violência que seus olhos expressam. Mas o ancião vira a cabeça para o lado do terraço. A alvorada começa a despontar. Ele vai até a soleira, afasta os braços, apóia-se nos batentes da porta.

— E se fosse o seu corpo, a sua voz que o Diabo, o *seu* Diabo, tivesse escolhido possuir? — diz ele ao filho. — Se os cristãos e o próprio Martinho é que fossem enganados pelo Diabo ou cúmplices dele?

Julius Galvinius encara de novo o filho.

— Pois, como diz você, o seu deus ama os homens até em suas fraquezas. Mas então, como ele pode condenar sem indulgência aqueles que, por ignorância, crêem em outros deuses e são perseguidos por vocês? Como ele pode admitir que os cristãos tenham virado sacerdotes de uma religião aliada aos poderosos igual à que divinizava o imperador Nero? Não é mais, evidentemente, em nome dos mesmos deuses que eles oprimem e matam, porém o gládio dos soldados está sempre a serviço dos sacerdotes, mesmo que já não venerem Júpiter ou César, mas Jesus Cristo.

— Jesus Cristo morreu como um escravo — murmura Antonius. — Ele quis que os mais humildes dos humanos, a prostituta, assim como o ladrão, fossem amados e respeitados.

A risada paterna enche a sala.

— Respeitados? — dispara. — Então por que não deixar os pagãos adorarem os ídolos deles? Por que esses celerados de preto, o apelido foi Libânio, um honorável retórico, quem lhes deu, atacam os santuários com clavas, pedras e barras de ferro? Eles destroem os templos: tetos afundados, paredes abaladas, estátuas demolidas, altares derrubados. Mas eles só atingem as construções!

Julius Galvinius empurra o filho com violência e continua:

— Eles dizem aos sacerdotes pagãos e aos próprios pagãos: ou vocês se calam, ou morrem. E esses celerados de preto percorrem os campos como uma matilha de predadores. Uma vez derrubado o primeiro templo, correm a derrubar o segundo e o terceiro. Eles convertem sob ameaças, batizam em pleno campo. E o Martinho que você venera é o mais furioso de todos. É por ele que se pautam monges e soldados.

Empurra outra vez Antonius, forçando-o a se sentar no leito.

— É esse o seu santo homem: um possuído pelo Diabo!

— Você blasfema! — rebela-se Antonius em tom de desespero. Que Deus o perdoe!

E faz o sinal-da-cruz.

SEXTA PARTE

TRINTA E TRÊS

Antonius Galvinius senta-se no chão de terra batida em seu quarto de paredes nuas. Encolhe as pernas contra o peito, envolve-as com os braços, encosta a testa nos joelhos.

Desejaria não ser mais que uma bolota tão inatingível quanto insensível, um desses moluscos que se retraem e se enrolam sobre si mesmos até se confundirem com os grumos da terra, bolotinhas endurecidas que não se têm por onde agarrar.

Bate a testa contra os joelhos pontudos.

Também precisaria esquecer, tornar-se surdo.

Mas as blasfêmias de Julius Galvinius são uma profusão de espinhos ou flechas pontiagudas fundamente enterradas em sua carne.

Ele tem a impressão de que todo o seu baixo-ventre está dolorido, que lhe esmagaram o sexo, que ali há uma ferida aberta que sangra, e todo esse sangue que escorre — ele sente mesmo um líquido quente escorrer-lhe pelas coxas — é a sua fé que o abandona.

Ele tem medo. Talvez Julius Galvinius tenha conseguido envenená-lo, instilar-lhe a dúvida.

É possível que o Diabo saia vitorioso?

O jovem levanta a cabeça. Ouve a voz paterna. Abraça as pernas com mais força, sente uma dor mais intensa, não isenta de prazer.

Desejaria desaparecer, que cada parte de seu corpo absorvesse a parte vizinha e ele se tornasse apenas um miserável monte de cinzas.

Mas a voz de Julius Galvinius, tão próxima, o invade.

O ancião deve estar no meio do pátio dos escravos. Vem escolher jovens virgens. Ele profere sarcasmos e solta gargalhadas. Diz que é um bode velho, que seu sexo é rijo e ardente como um gládio em brasas! Que já fecundou tantas mulheres que podia formar uma legião com seus bastardos! Não é desses homens que preferem rezar para um deus castrado, nem macho nem fêmea, porque não têm nenhum desejo de viver!

Ele, que honra Dioniso e Afrodite, é como Príapo, o filho deles.

— Vamos, aproximem-se, ajoelhem-se, venham honrar meu gládio! Ergam os véus, mostrem os seios, abram bem as bocas!

Quando a voz do pai some, Antonius ouve a das mulheres. Elas riem, chamam. Devem dançar, lascivas, em torno do velho lúbrico.

É o Diabo que comanda essa esbórnia!

Rezar, ajoelhar-se, deitar no solo, braços em cruz, abrir a boca para a lama entrar nela. Antonius aperta o rosto contra o chão de terra batida, enterra os lábios, agarra-se à terra com os dedos para não se levantar com um salto, abrir a porta e sair correndo para longe dessa vila para nunca mais ouvir a voz paterna.

Ele recorda o desafio que o demônio lançou a Martinho: "Aonde quer que vás e o que quer que tentes, encontrará o Diabo diante de ti."

Rezar.
Aquele que duvida será queimado; aquele que reza será salvo.

Num dia de inverno, Martinho é recebido numa igreja da sua diocese. Os clérigos preparam-lhe acomodações, estendem um colchão espesso e macio nas pedras do piso e, porque o frio é forte, avivam o fogo sob o pavimento para que o calor suba do caldário até a sacristia onde Martinho repousa.

Mas ele rejeitou o colchão para dormir sobre a pedra dura. E, subitamente, o fogo o rodeia. Os fiapos de palha queimam e crepitam. Através do fino pavimento, as chamas atingem toda a sacristia.

Martinho levanta-se em sobressalto. O medo o invade. Sim, também ele, Martinho, sucumbe ao medo. Atira-se contra a porta como se não fosse o soldado de Cristo, aquele cujo destino depende da vontade do Senhor. Tenta abrir a porta. As chamas avançam. Ele entra em pânico. Não consegue abrir. Bate com os punhos na madeira, pede ajuda, suplica que arrombem a porta.

De repente, ele ouve sua própria voz pedindo socorro aos homens. Quer dizer que ele duvida de Deus. Esqueceu que a fé e a prece são seus únicos aliados.

Ele reza, prosterna-se no meio das chamas. Então o fogo recua, desenha um círculo de chamas em volta de Martinho, deixando um vão em torno dele, o espaço da vida.

Quando os clérigos forçam a porta, o braseiro arde tanto que estão certos de encontrar o cadáver calcinado de Martinho.

Afastam as vigas enegrecidas, abrem uma passagem na sacristia onde o fogo continua a arder. E vêem Martinho ajoelhado, as chamas dançando ao seu redor como lobos domesticados.

Antonius Galvinius se levanta, a boca cheia de terra.

Ele precisa arrancar os espinhos e as pontas de flechas que enfiaram mentiras e blasfêmias em seu corpo.

Martinho não converteu os pagãos pela força como pretendem os demônios que falam pela voz de Julius Galvinius.

Martinho realizou milagres. E foi por escutarem sua santa prédica que os pagãos vieram até ele e pediram o batismo. Eles viram Martinho vencer o Diabo tentador, dissimulador, sempre à espreita.

Antonius limpa os lábios com as costas da mão, cospe a terra.

Ele também precisa desafiar o Diabo, desmontar suas armadilhas e proclamar a verdade.

TRINTA E QUATRO

Antonius Galvinius atravessa o pátio enlameado entre os alojamentos destinados aos escravos.

Anda em passos vagarosos, hesitantes. Tem a impressão de passar embaixo de uma ponte que oscila em cima de um abismo. Vacila, tem medo de cair. As fachadas das casas, os vultos dos escravos, dos cães e dos porcos que patinham na lama misturada a excrementos estão velados, como que envoltos num nevoeiro cinzento.

Ele titubeia, pára. Contrai o corpo para não escorregar nesse visgo escuro. Tem vontade de vomitar como se os poucos grãos que tentou engolir antes de sair de seu quarto voltassem-lhe à boca, enchendo-a de um suco amargo.

De repente, ele vê dois enormes cães de fila saltarem em sua direção, os olhos brilhando no pêlo negro.

São os demônios.

Ele faz o sinal-da-cruz no instante em que vozes e risos invadem o pátio.

Os dois cães estancam a alguns passos, as patas estendidas, goelas erguidas.

Antonius tem a sensação de que seu peito vai rachar e estourar como um odre demasiado cheio.

Ele vira a cabeça. Encostadas na pia de pedra cinzenta que ocupa o centro do pátio, jovens escravas o observam e o examinam, rindo despudoradamente. Elas arqueiam o corpo para trás, suas largas ancas apoiadas na pedra, os seios estufam suas túnicas; algumas têm o rosto meio escondido pelos cabelos soltos, outras deixam a nuca e o pescoço descobertos. As coxas fortes, os pés nus, os tornozelos finos estão sujos de lama.

Caçoam do filho de Julius Galvinius. Esperam que ele caia.

Elas lhe dão a impressão de se dissimularem sob um véu cada vez mais espesso, opaco. Mas suas risadas ainda chegam até ele.

O Diabo se esconde atrás delas. Ele é o corpo, a voz, os sarcasmos delas.

Antonius estende os braços, aponta o indicador para as formas que se esquivam. Ele grita que não teme os demônios, mas avança para eles armado do sinal-da-cruz, levando o escudo da prece.

Dá um passo em direção à pia, às escravas cujas risadas o ferem. Sente que as pernas lhe fogem, que o chão se abre sob seus pés. Esse vazio o atrai. É uma gruta em cujo fundo ele cai. Martinho o chama, está ali a sua espera. Antonius se atira.

A voz é resoluta. Diz:

— Desconfia de teus sonhos. O Diabo esconde-se neles. Nunca desconfiarás o bastante. Pensarás que os deuses pagãos nos quais acreditastes — Júpiter, Mercúrio, Vênus ou Minerva — vêm a ti. Imaginarás que eles perderam o poder, uma vez tu aceitaste o batismo e acreditas em Nosso Senhor Jesus Cristo. Estás enganado: foi o Diabo que assumiu a face deles, entrou em seus corpos e os fez renascer. Se não destruíres esses ídolos, se não converteres os pagãos a tua fé, terás perdido o combate contra o Diabo. Uma gota de veneno, um único pagão são suficientes para envenenar não só o corpo inteiro de um homem, mas o de um povo.

"O Diabo jamais desistirá. Ele se debruçará sobre ti, terá o cabelo de uma mulher. Ela acariciará teu peito, o bico dos seios dela roçará cada pedaço do teu corpo. Tu sentirás prazer.

"Foge!

"Foge de tudo que te atrai. Das ancas dessa mulher, das coxas que aprisionam as tuas.

"Mas afasta-te também do vinho, da carne.

"E renuncia ao pensamento sutil, ao raciocínio grego.

"Crê. Deixa-te guiar pela fé. Só ela e não a lógica ateniense permitirá que distingas o verdadeiro do falso.

"Desconfia dos falsos profetas. Alguns, monges, clérigos, às vezes pretendem que falam a Deus. Vão-se aproximar de ti vestidos com uma túnica de lã branca, macia, dizendo que ela lhes foi dada pelo Senhor. Mas foi o Diabo que os vestiu assim. Faz o sinal-da-cruz e imediatamente eles te aparecerão em toda nudez, pois o Diabo os terá abandonado!

"Não te deixes atrair pela força, pelo brilho cintilante das armaduras, pelo poder do imperador.

"Aquele que escolheu usar um diadema de pedras preciosas e borzeguins dourados, esse não pode ser o Cristo, ainda que ele diga: 'Martinho, eu sou teu Senhor, reconhece quem tu vês.'

"Responde-lhe que Jesus usa o hábito de um escravo, que seu corpo mostra as marcas da Cruz, que ele nunca vestiu púrpura, nem cinge o diadema imperial. O Diabo é que ama os ouropéis do poder!

"Se te deixares enganar por desejos, por teu pensamento, por teus sonhos, então o Diabo vencerá. Ele será o veneno da serpente que se alastra pelo corpo e o paralisa. Será o chifre do boi atrelado que se debate, de repente, e mata, com um movimento de cabeça o charreteiro que o levava a Marmoutier. Então o Diabo triunfará.

"Ele me disse: 'Onde está teu poder, Martinho? Eu acabei de matar um dos teus.' E tu te espantarás dolorosamente do silêncio do Senhor.

Terás a tentação de rebelar-te contra a decisão Dele de deixar o Diabo vencer. Chorarás a morte desse camponês chifrado.

"Mas terás de renunciar a compreender, terás de crer ainda mais, de abandonar tua pretensão de prever e julgar as coisas do Senhor.

"Tu rezarás. Tu medirás a profundidade do mistério da fé.

"Tu te submeterás. Pois o Diabo é também teu orgulho, tua crença na força do teu pensamento.

"Sê humilde e confiante em Cristo e Seu mistério. Então o Diabo será vencido e poderás dizer-lhe: 'Se tu, miserável, se tu renunciasses a perseguir os homens e te arrependesses de teus malfeitos, de minha parte, eu te prometeria misericórdia com uma sincera confiança no Senhor Jesus Cristo.'"

Antonius Galvinius reabre os olhos. Algumas mulheres estão debruçadas sobre ele. Suas longas madeixas roçam nele.

Ele não quer vê-las.

Como Martinho, ele quer desmontar as armadilhas do Diabo, quer que ele apareça sob a máscara de Júpiter ou do imperador, com a aparência de um chifre de boi ou com os atrativos femininos.

Vira-se, volta a afundar a boca na lama.

Alguns cães se aproximam e o farejam.

TRINTA E CINCO

Deitado, braços em cruz, na lama nauseabunda do pátio dos escravos, Antonius Galvinius não se mexe.

Sente que, aos poucos, essa lama impregna-se em sua túnica e endurece a lã que lhe arranha a pele como uma casca áspera.

Ele quer que essa escoriação dolorosa faça nascer calma no coração e nos sentidos.

Quer que do nojo que ele sente ao enfiar os lábios na terra escura juncada de fiapos de palha, e aos repugnantes eflúvios dos excrementos de cães, porcos e humanos, surja um nova alegria.

Ele sofre, humilha-se. Oferece sua submissão ao Senhor. Está em paz.

Quem sabe Deus lhe concederá ajuda para lutar contra as tentações do Diabo? Quem sabe Ele lhe dará a força para fazer os pagãos e, em primeiro lugar, seu pai, Julius Galvinius, entenderem a justa palavra?

Quem sabe, visto que ele, Antonius Galvinius, deixa que essa lama o envolva e penetre seu corpo, Deus permitirá que ele expulse os demônios do corpo e da casa de seu genitor?

Antonius ouve cochichos acima dele. Logo depois, alguém lhe fala ao pé da orelha. É uma voz feminina. Ela pergunta se devem ajudá-lo a se levantar, se ele está sofrendo.

Ele balança levemente a cabeça e, nesse movimento, a lama escura escorre por entre seus lábios e entra em sua boca.

Ele sufoca.

Balança a cabeça com mais determinação ainda.

Que não toquem nele! Que o deixem comungar com o Senhor Jesus Cristo por meio do sofrimento e da humilhação!

Que o deixem imitar Martinho!

Martinho veste um manto de lã de pêlos duros como espinhos. Sob o manto, ele usa um cilício que lhe cinge os rins tão fortemente que sua pele sangra.

Quando Tetradius, um procônsul da Gália, pede-lhe que expulse o demônio que se apossou de um escravo, Martinho deita-se sobre calhaus pontiagudos da estrada.

Tetradius inclina-se. Descreve o escravo possesso que se contorce de dor, ameaça os que se aproximam, destrói as mobílias, quebra as ânforas, berra tão alto que a multidão reunida suplicou que Tetradius procurasse a ajuda do monge-bispo, o milagreiro, o curandeiro Martinho de Tours, que exorcizou tantos infelizes, ressuscitou mortos, dominou serpentes, cães e vacas, e teve a coragem de enfiar a mão na boca de um hidrófobo!

Martinho não responde. Tetradius ajoelha-se junto dele, implora. Toda a sua família, explica ele, toda a vizinhança está paralisada de medo desse homem-demônio, mais furioso que um cão vadio, cujos olhos refulgem como os de um lobo.

Martinho vira-se. Murmura que não pode ir à casa de um descrente, de um pagão.

— E é isso que és, Tetradius, veneras César e Júpiter, celebras os ídolos, sacrificas teus animais à glória deles. Como podes crer que eu seja capaz de recorrer a Deus para encontrar a força de expulsar o demônio de uma casa desse tipo?

Martinho comprime novamente o rosto nas pedras da estrada.

Tetradius promete tornar-se cristão se seu escravo recuperar a paz, se o demônio for exorcizado e se a tranqüilidade reinar de novo em seu domínio.

Martinho se levanta. As pedras deixaram marcas em seu rosto. Enfronharam-se na lã do manto.

— Eu vou a tua casa — diz ele a Tetradius.

A casa de Tetradius é rodeada por um parque todo arborizado. Mas algumas árvores estão mutiladas e os galhos quebrados. Um tornado abateu-se sobre o domínio no mesmo instante em que o demônio entrava no corpo do escravo. O raio caiu ali várias vezes. O vento arrancou telhas, derrubou vasos.

É uma parte do sopro do Diabo que ficou presa no corpo do possesso, à espreita, pronta a se pôr em agitação.

Ouvem-no berrar, socar as portas com os punhos, atirar objetos que se espatifam no chão.

Martinho dirige-se sozinho para os alojamentos cujas paredes parecem estremecer, tanto se intensifica a voz do possesso.

Martinho anda, braços estendidos.

De repente, uma porta se abre e o escravo aparece, hirsuto e seminu, gesticulando e gritando. Ele estanca assim que avista Martinho. O monge continua a se aproximar, segura-lhe a cabeça, estreita-a contra si, marca-a com o sinal-da-cruz.

O homem logo se acalma, esconde o rosto nas mãos, ajoelha-se aos pés de Martinho, abaixa a cabeça.

Martinho acaricia-lhe os cabelos, termina de apaziguá-lo e vira-se para Tetradius.

— Recebe-me em tua fé — diz Tetradius.

E os escravos e os administradores de Tetradius juntam-se a ele. Também querem se tornar catecúmenos a fim de serem batizados. Dizem que vão quebrar os ídolos que adoravam, destruir o santuário ali erguido em honra de Mitra.

Indicam uma construção circular encimada pela estátua do ídolo.

Martinho faz o sinal-da-cruz.

— Vamos — diz ele.

Acompanhados de Tetradius, os escravos correm para o santuário e começam a demoli-lo a golpes de porretes e barras de ferro.

Assim, gradativamente, Deus vai reinar na Gália.

Martinho retoma a estrada de Marmoutier. Ele reza. Os monges o acompanham e seus murmúrios formam uma espécie de melopéia que precede, envolve e segue seu cortejo.

Eles caminham com qualquer tempo. Vão de um a outro santuário pagão para exigir que o destruam e, com as pedras demolidas, construam uma nova igreja. Quando os pagãos se recusam e às vezes opõem resistência, ameaçando Martinho com um machado ou uma faca, ele se deita no chão, cobre-se de cinzas e espera, com os braços em cruz, um sinal do Senhor.

Às vezes advém uma tempestade que verga as árvores, derruba os frutos, abala as paredes das casas; outras vezes é a chuva de granizo que castiga o solo, rasga as folhas da vinha, arranca as uvas dos cachos, deixando apenas o esqueleto das cepas.

Os pagãos se aproximam de Martinho que permanece imóvel, deitado na terra encharcada, a cabeça coberta de cinzas.

Suplicam-lhe.

Se ele é o missionário desse novo deus que chamam de Jesus Cristo, se ele faz milagres em Seu nome, que detenha a chuva de granizo, que salve o que resta das colheitas!

Até o prefeito Auspicius, que possui a maior extensão de terra da região, também vai suplicar a Martinho que interceda junto a seu deus e lhe diga que todos — ele, Auspicius, e também seus escravos e todos os que vivem das colheitas — entrarão para a nova religião se a chuva de granizo deixar de ceifar ao menos um pouquinho do vinhedo, dos pomares, do trigal.

Martinho pede que o deixem sozinho sob as cinzas e os granizos.

Ele reza.

E o céu se abre no azul de um tempo que, de repente, se torna ameno.

Dêem graças ao Senhor!

E que os novos catecúmenos que se ajoelharam recebam o batismo!

Martinho os acolhe.

Deus quer que seja ele o evangelizador da Gália.

Vestido como um mendigo, ele segue seu caminho e anda com tanta pressa que os monges, com as batinas negras muitas vezes endurecidas pelo suor, não conseguem acompanhá-lo e ficam isolados, bem atrás dele.

De modo que Martinho está sozinho na estrada, quando vê uma carroça carregada de homens de armas vir em sua direção: é a milícia que recolhe o imposto para o conde Avitianus. Ao cruzarem com Martinho, as mulas atreladas à carroça se desviam, os tirantes se embaralham, a carroça vira, os milicianos pulam no chão, rodeiam o mendigo que não abaixa os olhos, embora seja ele, com sua veste negra, o responsável pelo acidente ocorrido à atrelagem. Eles se atiram sobre Martinho, dão-lhe inúmeras chicotadas e bastonadas, atracam-se com ele que, apesar do sangue que jorra, parece indiferente e até oferece o dorso aos carrascos. Esses o jogam no chão, continuam a espancá-lo e só param a partir do momento em que a carroça é posta de pé.

Os monges chegam finalmente. Rodeiam Martinho que parece inanimado. Eles o carregam e o estendem num aclive à beira da estrada, longe da carroça.

Enquanto isso, os homens de armas preparam-se para partir. Mas as mulas teimam, recusam-se a dar um passo apesar das chicotadas e dos gritos, como se estivessem paralisadas por uma força misteriosa, obedientes a um dono invisível mais poderoso que os milicianos que as chicoteiam.

Os soldados interrogam-se uns aos outros. Um deles indica Martinho: seria possível que esse homem fosse capaz de um tal sortilégio?

Eles interrogam os monges que revelam a identidade do mendigo ainda prostrado, coberto de sangue.

Os homens da milícia se ajoelham, cobrem a cabeça com a poeira do chão, lamentam-se, imploram perdão ao bispo Martinho e pedem permissão para sair dali. Que Martinho retire a interdição, que as mulas consintam em puxar a carroça!

— Ide! — diz Martinho, erguendo-se.

E as mulas põem-se a caminho novamente.

Martinho, o milagreiro! Martinho,o soldado de Cristo! Martinho, o evangelizador da Gália!

Quem ainda duvida?

Alguns dizem que foram ofuscados por uma luz resplandecente que rodeava a cabeça de Martinho na igreja.

O prefeito Arborius assegura que um dia, quando Martinho derrubava pedra por pedra de um santuário pagão, ele viu a mão do monge-bispo como que coberta das mais belas pedras preciosas. A própria mão irradiava um brilho púrpura e, a cada gesto que fazia, ouvia-se o tilintar das gemas que se entrechocavam.

Contudo, nenhum anel ornava os dedos dele. Deus só queria indicar dessa maneira que aquela era uma mão santa no cumprimento da justa obra.

Todos querem tocá-la. Precipitam-se, rodeiam Martinho. Ele foge da multidão, refugia-se numa igreja.

Mulheres soltam gritos estridentes; algumas rolam na terra, tal a exaltação do desejo de ver Martinho.

São as virgens sagradas dessa igreja.

O Diabo terá entrado nelas?

Elas forçam a porta da sacristia onde Martinho passou a noite. Elas o encontram. Atiram-se para arrancar um fiapo da palha do colchão em que ele dormiu.

Algumas se ajoelham e lambem os lugares onde consta que Martinho pôs as solas dos pés e apoiou o corpo.

TRINTA E SEIS

Antonius tem a impressão de que cada músculo de seu corpo está enrijecido. A pele se distende. Ele arqueia o corpo como para acompanhar o movimento de seu sexo ereto.

Até parece que alguém o acaricia entre as coxas, massageia suas pernas, que uma língua macia e ligeira desliza sob suas axilas, lambe-lhe o peito e o ventre. Aos poucos, ele sente que seu corpo se abandona, todo inebriado, e estremece de prazer; ele joga a cabeça para trás, a boca aberta, a respiração acelerada, ofegante.

Quem o apalpa dessa maneira?

Ele deveria abrir os olhos, mas suas pálpebras parecem coladas uma na outra e não admitem se desgrudar para prolongar esses instantes, para permitir que essa língua continue a lambê-lo.

Onde ele se encontra?

Já não está deitado com o rosto na lama.

Ele sonha outra vez com essas virgens que lamberam, na sacristia, as cadeiras, o piso, todos os lugares, todos os objetos que Martinho roçou.

Alguém o lambe.

Onde ele está?

Deitado de costas, seu corpo está todo envolvido por uma tépida umidade.

Você precisa saber! Que Deus lhe dê a força para resistir ao prazer!

Ele reabre os olhos.

Percebe vultos de mulheres debruçadas sobre ele. Quando se afastam, somem no vapor acinzentado da sala das termas, que ele agora reconhece.

Ele olha em torno. Elas o deitaram, nu, sobre uma grande toalha embebida em água quente. Algumas mulheres o lavam, passam-lhe panos úmidos impregnados de perfume no corpo.

Ele se senta e cobre as pernas e o ventre com as beiradas da toalha.

O riso das mulheres acompanha esse brusco movimento. Parecem vidros que se entrechocam e tinem.

Explicam que o levaram para lá porque ele estava inconsciente no pátio, e só fizeram acatar as ordens de Julius Galvinius, que lhes mandou lavarem e perfumarem o filho.

Elas obedeceram.

Riem, enquanto Antonius Galvinius se levanta e foge.

Ele vê o pai deitado num leito no meio do terraço.

O sol do fim da manhã beija o lugar com uma suavidade outonal. O céu está limpo. No horizonte, de um azul tão pálido que parece esbranquiçado, os ciprestes desenham uma barra escura de contornos precisos.

Antonius Galvinius aperta contra o corpo a túnica que vestiu ao deixar as termas. Ele pára diante do ancião.

Desejaria indignar-se: o pai dispôs de seu corpo, quis tentá-lo, corrompê-lo, enfraquecê-lo, entregá-lo às mãos dessas mulheres pervertidas, abandoná-lo às carícias e assim comprometê-lo.

Mas por que repreender o Diabo pelo que é? Só se precisa resistir a ele, combatê-lo e vencê-lo.

— Aqui estou eu — Antonius limita-se a murmurar.

Ele não cedeu. Agarrou-se às bordas do abismo. Manteve-se fiel ao batismo e a sua fé.

Julius Galvinius se empertiga. Tem a fisionomia tranqüila, rejuvenescida. Sorri.

— Você parecia morto, afundado na lama, com o nariz metido nessas fezes moles; é assim que você respeita o corpo que o seu deus lhe deu? Você se mistura com as imundícies? Então ele não vale mais que isso?

O ancião se levanta, anda até a balaustrada, faz um largo gesto com o braço, abrangendo a paisagem até o horizonte.

— O mundo é indubitavelmente belo. Mas não há nada mais precioso nem mais extraordinário no mundo do que o corpo de um homem ou de uma mulher.

Ele ri e vira-se um pouco para o filho.

— Você parecia morto, mas falava. Eu não podia, em sã consciência, deixar você apodrecer no meio dos cachorros, dos leitões, dos escravos.

Aproxima-se de Antonius e sacode a cabeça.

— Você falava — repete. — Dizia que mulheres, virgens sagradas estavam ajoelhadas para lamber os móveis, as paredes, o piso, todos os lugares em que os pés, as nádegas, as mãos de Martinho haviam tocado.

Ele brande o punho, aperta os lábios.

— Mulheres que a fé no deus delas, o mesmo que o seu, havia transformado em porcas, em cadelas! — solta entre os dentes em tom de desprezo.

Ele volta a se apoiar na balaustrada e a contemplar de novo o horizonte.

— Se eu fosse esse deus ou um sacerdote dele, eu cobriria minha cara de lama como você, mas por outras razões: para esconder minha vergonha! Que o corpo de moças, mais suave que uma fonte de água pura, seja tratado dessa maneira, que elas se nivelem aos bichos que lambem a terra...

Ele se interrompe e solta uma súbita gargalhada:

— Que elas lambam o meu corpo, sim! Mas a palha, a madeira, a pedra, isso é indigno de uma mulher!

Ele encara Antonius.

— Entre as divindades do nosso panteão, veneramos as esposas e as filhas de nossos deuses gregos ou romanos, Vênus, Juno e outras. É assim que se deve honrar as mulheres. Desde que se queira extrair-lhes o prazer, beber o desejo em seus lábios.

Balança a cabeça:

— Mas o que é que você sabe disso?

Sorri.

— No entanto, quando as jovens escravas começaram a lavá-lo e acariciá-lo, tive a impressão de que você estremecia. Obstinava-se em ficar de olhos fechados, mas para não saber o que estava acontecendo de tão agradável. Você se fazia de morto para saborear melhor a vida!

TRINTA E SETE

O rapaz abaixa a cabeça. Umedece os lábios com a ponta da língua. Tem sede. Ouve o borbulhar do vinho que escorre da ânfora para a taça na mão de Julius Galvinius.

— Beba! — exorta Julius.

Antonius dá um passo atrás.

— O vinho é fresco — continua o ancião. — É vinho novo. Fervilha como o prazer!

Ele estende uma taça ao filho.

— Seus lábios estão secos. Sua boca pede vinho. Eu vejo isso, mas você se recusa. Por quê? Foram os deuses que criaram as vinhas. Eu já lhe disse: Baco ou Cristo, pouco importa. O vinho é tirado da terra como o sangue do corpo!

Ele estala a língua, bebe, enche de novo a taça. Ri e zomba. Sua voz parece um zumbido de vespa entre as uvas maduras. Ela volteia em torno do rosto de Antonius, vai enfiar-lhe o ferrão.

Antonius Galvinius levanta a mão como para afastá-la, para se proteger. Talvez ela lhe pique a pálpebra e ele fique cego ou vesgo? Talvez ela pouse em sua nuca e o veneno se espalhe por todo o seu corpo, deixando-o paralisado? Talvez — o que é pior ainda — ela entre em sua boca e deposite o veneno no fundo de sua garganta para sufocá-lo?

É preciso afugentar esse inseto, fazer calar sua voz.

— Você fala sempre em prazer — diz Antonius Galvinius com a mão erguida diante do rosto de Julius Galvinius como para impedi-lo de responder. — No entanto, é porque Deus ama o homem — continua ele —, porque Ele não quer reduzi-lo a um pedaço de carne arquejante, inerte, morta, decomposta, que ele permite que o homem conheça a alegria e o amor. É assim que o homem se salva e Deus pode curar os males de seu corpo. Pois a carne sem o espírito não passa de lama. E aquele que só procura o prazer já está coberto de terra como um cadáver.

— Assim estava você! — grita Julius Galvinius. — Porém se reergueu quando as escravas o acariciaram, lavaram, lamberam. E você estremecia de prazer!

Antonius balança a cabeça: ele não quer ouvir a voz estridente do pai que destila veneno.

— Só Deus salva! E Martinho cura, em nome Dele, os que são fiéis a Sua fé, aqueles que estão prontos a reconhecê-la.

— Bebe! — instiga o ancião.

De novo ele tenta espicaçar o filho com seus sarcasmos.

— Deixe, antes, que eu lhe conte como Martinho afasta o veneno — retruca Antonius.

É preciso que ele fale sem cessar para forçar o pai a se calar.

Martinho olha o corpo do escravo que vieram depositar a seus pés. O homem é jovem, tem os membros retorcidos como galhos. O ventre está inchado, a pele esticada em todo o corpo. Tornozelos e pulsos, de tão deformados, parecem os nós de um tronco de árvore. É o veneno de uma cobra — mas poderia ser o de um enxame de vespas rancorosas como as palavras de Julius Galvinius — que já se disseminou e paralisou, inchou e contorceu esse corpo.

Martinho inclina-se, depois se ajoelha. Ele reza enquanto sua mão desliza pelo peito e pelos membros do homem inerte. Acompanha as veias que são as nervuras desse corpo. Pára de repente: sente sob os dedos a pequena protuberância endurecida, com um furo negro no centro, como a cratera de um minúsculo vulcão. Foi ali que a serpente o mordeu. Foi por ali que o veneno se introduziu. Então Martinho se abaixa, começa a espremer, a massagear o corpo do homem com os dedos e as palmas das mãos, como se quisesse fazer refluir e sair pelas extremidades todo o veneno que ali se infiltrou.

Ele pressiona com toda a força. Seus dedos vão dos ombros à ferida perto do joelho, no meio da coxa. O corpo parece que se distende pouco a pouco. Um líquido enegrecido, depois vermelho escuro, escorre da ferida cada vez mais abundante, cada vez mais vivo. Era como se a minúscula cratera vomitasse o veneno, ou como se Martinho fosse um pastor espremendo a teta de uma ovelha.

Os membros do homem envenenado voltam a sua forma original e recuperam a maleabilidade. Pulsos e tornozelos, ventre e pescoço desincham. Ao lado do homem, alastra-se uma poça de sangue.

Martinho se levanta. Pouco depois, o homem soergue-se com o apoio das mãos e olha ao redor.

A multidão em torno deles grita que não existe ninguém sob o céu que possa se igualar a Martinho.

— Aí está — conclui Antonius.

A risada do pai persegue-o como um enxame de vespas. Contundentes, as palavras "curandeiro" e "feiticeiro" dardejam intercaladas de sarcasmos e zombarias desdenhosas.

Julius Galvinius objeta que Martinho apenas curava da mesma maneira que todos os que conheciam os segredos da ciência do Oriente. Devem ter-lhe ensinado os rudimentos na cavalaria imperial. Se a essas práticas ele acrescenta preces ao deus dele, é só para atrair as pessoas que ele cura, gente que qualquer sacerdote de qualquer religião também poderia curar.

— Mas os cristãos são conhecidos mestres na arte da palavra e da fábula! — admite o ancião.

— Fábula? — clama Antonius Galvinius.

Está indignado, sacode as mãos em torno do rosto, afasta as palavras do pai.

— Veja — replica. — É a filha de Arborius, um dos antigos prefeitos da Gália...

Esse homem é um seguidor de Martinho. Freqüentemente ele se retira em Marmoutier. Sua filha está deitada de lado como um bicho ferido por uma flecha. Ela geme, banhada em suor, o corpo todo agitado em tremedeiras está tão quente que Arborius mal consegue tocar em sua testa. O que pode um pai contra essa febre que consome sua filha? Chorar, rezar? Arborius lembra que possui uma carta de Martinho. Ele a enfia no peito da filha, ajoelha e recomeça a rezar. Invoca o Senhor, pede que Martinho aja de longe, ele, que é o homem dos milagres.

Passa-se a noite. Ao alvorecer, a menina tem um acesso de vômitos. Arborius se aflige: e se ela morrer? Mas, aos poucos, eis que o corpo de sua filha fica mais fresco, ela se acalma e adormece num sono ritmado por uma respiração regular e tranqüila.

— Você não daria graças a Martinho? — pergunta Antonius a seu próprio pai.

Julius dá de ombros: que homem dotado de razão estabeleceria uma relação entre essa carta e o declínio da febre, a cura da filha de Arborius?

O mais humilde dos gregos, o mais simplório dos pastores não teria acreditado em tamanha fraude! Mas os cristãos não pensam: eles imaginam, eles fantasiam! São bárbaros de espírito! Não é de espantar que os verdadeiros bárbaros sejam mais propensos a se converter às crenças cristãs do que às dos gregos ou dos romanos. Uma boa religião para os visigodos e os germanos. Não para os gauleses!

— Os gauleses — retruca Antonius — pedem o batismo porque descobrem os poderes de Martinho que vai até eles como um pobre, vestindo lã rude, mas as pessoas o seguem como o homem dos milagres.

Assim que Martinho chega a Lutécia acompanhado por uma multidão de pagãos que ouve suas preces, mas ainda hesita, ele vê um homem de rosto corroído pela lepra, agachado num portão da cidade. Sua boca não passa de um buraco, as faces são chagas em carne viva.

Martinho se adianta; a multidão a seu redor recua, tamanho é o medo da proximidade do leproso.

Martinho inclina-se, abraça duas vezes o infeliz diante do silêncio da multidão ao mesmo tempo fascinada e apavorada.

Uma noite é transcorrida em preces. No dia seguinte, lá está o leproso passando a mão sobre as faces lisas, as feridas cicatrizadas. Ele se atira aos pés de Martinho, dá graças a ele, e a multidão aclama, reza, pede o batismo.

Alguns querem tocar no bispo de Tours, arrancar fios de seu manto ou do cilício e amarrá-los em torno do dedo, do pescoço, para que essas relíquias afastem os demônios da moléstia.

— Vi tantos bárbaros, tantos gauleses ainda fiéis aos druidas, usarem esses amuletos e relatarem os muitos milagres realizados por virtude desses objetos — replica Julius Galvinius —, que eu ouço você como Euclides ou Pitágoras o ouviriam, sentados na colina do Partenon. Por que você quer que eu pense como um bárbaro? Por que quer que eu atribua algum poder milagroso a um fio de lã arrancado do cilício de Martinho e chame de idolatria a crença de quem venera um pedaço de granito, um galho de árvore ou as virtudes milagrosas de uma fonte?

— Você tem dois olhos e não sabe ver — responde Antonius. — Escute ao menos Paulino de Nola, cujo saber e riqueza você conhece, pois ele morou uns tempos em Narbonese: sabe que um dia seu olho esquerdo escureceu como se um véu negro cobrisse sua pupila? Ele estava então em Vienne, a caminho da Itália. Ouve dizer que Martinho, que vinha de Tours percorrendo as estradas para pregar em toda parte a verdadeira fé e demolir os ídolos, achava-se de passagem na cidade. Paulino apresenta-se a ele. Diz que é amigo íntimo de Sulpício Severo, que já fora recebido por Martinho. Mostra-lhe o olho quase fechado. Martinho se aproxima, examina o olho, depois o toca várias vezes com um pincel, e o véu negro se rasga. E Paulino cai de joelhos.

— Os egípcios já sabiam devolver a visão — objeta Julius Galvinius. — E Oribásio...

Antonius o interrompe:

— Ouça também um pai que fala de sua filha a Martinho: "Minha filha está morrendo de uma terrível moléstia e, mais cruel do que a própria morte, é que ela só está viva porque respira; sua carne já está quase morta. Peço-te que vá benzê-la, pois acredito que, com a tua intercessão, ela recuperará a saúde..." Você pensa que Martinho é seguro de si, a exemplo desses feiticeiros que você evoca? Ao contrário, ele duvida. Ele não acredita que o Senhor queira servir-se dele novamente para manifestar Seu poder. Martinho é apenas um homem e sabe que só Deus decide. Ele ouve as súplicas do pai e dos bispos que, nesse dia, o rodeavam e o exortavam a tentar salvar a moribunda.

"Martinho entra no quarto. Prosterna-se diante do corpo agonizante. Sente a dor invadi-lo como se fosse dele, como se ela escapasse de um corpo para se aninhar em outro. Levanta-se em seguida, examina a menina, pede um frasco de óleo e o benze. Abre os maxilares da infeliz e, com a palma da mão direita, suspende-a pela nuca e a obriga a beber o óleo agora sagrado. A menina, que há muito tempo perdera o uso da palavra, grita imediatamente. Aos poucos, ela se levanta como se a beberagem santa se alastrasse por dentro dela, e começa a andar mais depressa a cada passo.

"O que diz você dessa cura?, pergunta Antonius.

— O óleo, o óleo! repete Julius Galvinius com ironia. — O remédio dos gregos e dos romanos e, antes deles, dos egípcios.

— E o que diz você da mulher que perdia sangue deixando um rastro vermelho atrás dela e que Martinho curou com algumas palavras? E o que diz da mãe que chega a entrar na terra dos Carnutos, perto de Chartres, rodeada de uma multidão de pagãos, para encontrar Martinho? Ela leva nos braços o filho morto e o estende para apresentá-lo a Martinho. Ela diz: "Sabemos que és um amigo de Deus. Devolve-me meu filho, pois é meu filho único." A multidão grita, reiterando as palavras da mãe.

"Martinho olha para os pagãos reunidos. Eles esperam. Se Deus lhe der força para salvar o menino, essa multidão proclamará que o Cristo é Deus. Mas precisa ser bem-sucedido, tirar a criança das garras da morte. É preciso rezar com uma força e uma convicção tão grandes que se tenha a impressão de que tudo em seu interior se consome.

"Martinho toma o menino dos braços da mãe. Estreita-o contra o peito, ajoelha-se e reza. Sente o menino estremecer. Estende-o à mãe que abre os braços, pois a criança mexe as pernas, quer andar, quer se dirigir para a multidão que o aclama e se prosterna diante de Martinho.

"É preciso que todos se adiantem em fila para Martinho benzê-los, impor-lhes as mãos e marcá-los com o sinal-da-cruz. Desse modo eles se tornam catecúmenos. Amanhã serão batizados."

— A criança não estava morta! — decreta Julius Galvinius. — Os oradores cristãos são mestres em invencionices!

— A morte é descrença — replica Antonius. — A vida é fé!

SÉTIMA PARTE

TRINTA E OITO

Julius Galvinius ergue o braço. A mão parece-lhe pesada; tem a impressão de que um bracelete de chumbo cinge seu pulso. Abaixa a cabeça como se esse movimento contrário pudesse facilitar o movimento do braço. Mas uma dor sobe de seus dedos até o cotovelo, atinge o ombro, paralisa-o, insinua-se na base da nuca, entra pela orelha. É como se fosse o zumbido de uma flecha. Por um instante, esse som agudo, irritante, encobre a voz de seu filho. Julius fecha os olhos, deixa cair o braço. Ouve novamente a voz de Antonius.

O ancião sai da êxedra, caminha lentamente até o terraço. É fim do dia. O céu sobre os ciprestes é cinza pincelado de vermelho. A noite avança trazida por uma brisa úmida que cheira a uma mistura de mar e frutas maduras.

Ele se vira, vê o filho que sai da êxedra, por sua vez, e se aproxima.

Fica consternado com a expressão de Antonius. O rapaz exibe um sorriso que parece não se apagar nunca; e um olhar fixo, brilhante, como que voltado para dentro, que nem as coisas nem as pessoas conseguem interceptar, denunciado apenas pelo reflexo. E a voz premente e alegre, imperiosa, porém terna, que recomeça o interminável relato das curas, dos milagres realizados por Martinho, pontuando cada um com uma súplica:

— É preciso crer, pai! Deus o salve! Só Deus lhe dará a vida eterna!

Julius quer levantar o braço outra vez para fazer Antonius se calar. Mas mal consegue mexer a mão. O ombro dói demais.

Ele cerra os maxilares, morde os lábios.

Tem a sensação de que todos os seus ossos, dos tornozelos e dos joelhos, dos pulsos e dos cotovelos, dos ombros foram partidos. E ainda tem de escutar o filho perorar sobre os corpos devolvidos à vida, sobre a agilidade restituída aos paralíticos, sobre a pele nova que apaga as chagas dos leprosos, sobre a palavra que enche a boca dos mudos!

— Já sei tudo isso, você já me contou e recontou — murmura ele.

Antonius inclina-se.

— Martinho sabia — insiste — que Deus lhe concedera uma parcela de Seu poder e que, em troca, ele devia servi-Lo, sem nunca se deixar corromper, conservar a alma cândida, fervorosa, apaixonada, fiel, inflexível, mas ingênua. Levar uma vida austera sem as pompas do poder e da glória. Nem os leitos enormes dos bispos de báculo dourado, nem as taças cheias de vinho, nem as vestimentas bordadas, nem os dedos carregados de anéis, mas a palha jogada no chão, a água das fontes e os andrajos para cobrir o corpo e as mãos nuas da pobreza. Então, em recompensa, Deus concedeu-lhe a graça de ressuscitar os mortos por três vezes e restituir a visão ao olho cego de Paulino...

Julius Galvinius suspira. Queria se afastar, mas tem a impressão de que mal consegue arrastar os pés sobre as pedras de mármore do terraço.

— Você já me falou sobre tudo isso — repreende-o, tentando erguer os ombros.

Essa simples tentativa queima-lhe a nuca. Ele fica parado.

— Paulino de Nola, o amigo de Sulpício Severo? — ironiza ele. — Paulino, que abandona todos os seus bens, mas conserva poder o suficiente para tornar-se o bispo de Nola, para também viver no luxo, como Sulpício, como todos os nobres da Aquitânia e da Gália, do Iliricum ou da Itália, da Espanha ou da África, enquanto exaltam o ascetismo dos monges, desses eremitas que apodrecem em seus buracos de rato nas falésias ou no meio do deserto...

Julius tem a sensação de que seu corpo se relaxa pouco a pouco, como se a cólera crescente lhe devolvesse força e leveza. De punhos cerrados, ele ergue os braços diante do rosto do filho.

— Você não sabe nada dos homens! — diz ele. — Você encobre com mentiras e fábulas, como fazem os de sua seita, atos e fatos que não se originam da vontade de seu deus nem da santidade de um bispo, seja ele Martinho, mas da paixão dos homens, de seus desejos, seus ciúmes, sua insaciável fome de ouro e de poder. Aliás, você deveria saber tudo isso, mas o que você fez com os ensinamentos dos mestres que eu sustentei, aqui, para lhe ensinarem os escritos de Platão e de Aristóteles, de Epicuro e de Epicteto, de Sêneca, de Diógenes e de Catão, de Suetônio e de Plutarco?

De repente, o ancião sente que sua voz enrouquece e fraqueja, que as palavras ficam presas na garganta. Ele observa o filho. Sempre o mesmo sorriso, o mesmo olhar...

Por que o homem que usa seu nome, que tem seu sangue correndo nas veias, que você cercou de cuidados como se faz com uma árvore frutífera ou uma roseira, tinha de sair esse estranho que já nem mesmo compreende a língua paterna?

Julius Galvinius deixa-se cair, mais do que sentar-se, no banco de pedra colocado junto da fachada.

— Você não conhece as motivações dos homens para agir. Você foge à verdade, fala como se estivesse embriagado.

Suspira.

— Quanto a mim, vou lhe falar dos homens! Vou fazê-lo aspirar seus excrementos! Somente depois você poderá invocar o seu deus e me contar os milagres de Martinho de Tours. Mas, antes, aproxime da merda suas narinas cristãs!

TRINTA E NOVE

Julius Galvinius está inclinado para a frente, os antebraços apoiados nas coxas. O drapejado da túnica esconde suas mãos e suas pernas. Também a nuca e a parte inferior do rosto estão encobertos pela gola da vestimenta. Somente os pés nus, metidos em sandálias de tiras, aparecem entre as dobras do tecido.

Julius fala em tom surdo, sem parecer preocupado em saber se o filho o escuta. Mas, a cada vez que pronuncia o nome de Prisciliano, faz uma pequena pausa e o repete em seguida para que Antonius não o esqueça.

— Prisciliano — continua ele —, esse é o homem de quem quero lhe falar e estou curioso para ouvir seu comentário sobre o destino dele e seus familiares. Era um homem que conhecia todos os livros escritos em Atenas, bem como em Roma, Cartago e Bizâncio. Ele meditou sobre eles. E escolheu sua religião, a de Cristo: desse aí você deve gostar! Ele vivia na Espanha. Você sabe disso?

O ancião não espera a resposta, nem levanta a cabeça, cospe e continua:

— Mas pouco importa que você saiba. De Prisciliano você só deve saber o que lhe convém, o que contaram os bispos que o julgaram e o condenaram à morte pelas mãos dos carrascos do imperador Máximo. As palavras deles exalam o cheiro da merda de seus ressentimentos, de seus ciúmes, de seus temores. Eles têm medo desse homem que se tornou bispo de Ávila. Eles o amaldiçoam. Prisciliano, veja você, era desses homens raros cujo modo de vida está em concordância com suas palavras. Ele vivia de algumas ervas e frutos, um pouco de cereal, um pouco de água. Declarava que queria praticar ao pé da letra as ordens de seu deus. Nada de escravos! Nada de vestimentas de seda, de sobrepelizes tecidas com fios de ouro! A pedra como colchão; o frio, o inverno, como único companheiro, e a sede no verão. E, no entanto, era um nobre espanhol que possuía títulos e bens. Um homem como você diz que gosta. Mas ele ia bem mais longe do que esse seu bispo de Tours...

Julius Galvinius faz uma careta, soergue-se, dá uma tossidela e continua:

— Esse seu Martinho é um falso pobre, é alguém que ama o poder, o apelo à força. Basta ouvir os relatos que você me conta das conversões de pagãos que ele realizou. Martinho acredita que detém a verdade única. Ele não é humilde. Prisciliano é que era. Quer uma prova? Ele autorizava os meros batizados na religião de Cristo, quer fossem homens ou mulheres, a pregarem. Como querer que os cônsules, os prefeitos, os imperadores de sua Igreja aceitassem isso: um homem que os privava do poder, que não gostava nem de ouro nem de autoridade, que vivia no verdadeiro despojamento e, por sua vida exemplar, atraía cada vez mais discípulos?

Julius Galvinius se levanta, vai-se debruçar na balaustrada, depois se vira para o filho e olha-o demoradamente. Um esgar de desânimo e comiseração contorce sua boca e seu queixo.

— Você vai me explicar outra vez que Prisciliano não respeitava as regras da verdadeira fé — recomeça em tom exaltado. — Vai me falar de novo do Pai, do Filho e do Espírito Santo...

Ele dá de ombros e esboça um careta de desprezo:

— Você simplesmente não quer sentir o cheiro da merda! Não quer reconhecer as verdadeiras razões dos inimigos de Prisciliano, porque elas emanam de bispos como Idácio de Mérida ou Ítaco de Ossonoba, e também de Máximo, o muito católico imperador em seu palácio de Trier, o inimigo irredutível das heresias, o que persegue os arianos em nome da trindade.

Julius Galvinius inclina-se para o filho:

— Perfume despejado na merda como mentira encobrindo a verdade! Quer que eu lhe revele o que está por trás?

Ele volta a se sentar no banco, cruza os braços, a cabeça encostada na parede da vila, os olhos fechados.

— O imperador Máximo, os bispos? Máximo, esse eu conheci quando ele não passava de general do exército da Bretanha. Um homem ganancioso que constantemente lançava olhares de ódio em torno dele. E um farsante traiçoeiro, capaz de abraçá-lo contra o peito enquanto lhe enfia o gládio nas costas. Cristão, claro, porque assim podia obter o apoio de sua Igreja e de seus bispos. Quanto a estes, Idácio, Ítaco, bocas e barrigas insaciáveis que só pensam em se empanturrar de vinho e carne, em se cumular de ouro e poder. E, naturalmente, quando o general do exército da Bretanha é proclamado imperador por seus soldados, eles se aliam a Máximo e o celebram como o grande Augusto católico, o novo Constantino!

Julius Galvinius se levanta.

— Constantino, o primeiro imperador cristão? Um assassino, isto sim, igualzinho a Máximo que mandou matar Graciano, seu rival. Em nome da justa fé, dirá você?

O ancião dá uma risadinha zombeteira.

— Mentiras! — continua com voz sibilante. — Graciano é um ariano, segundo Máximo e os bispos. Um herege, portanto, a exemplo do ingênuo Prisciliano que recorreu ao imperador católico para obter justiça. Pobre cego que o deus cristão não iluminou. E, no entanto, Prisciliano viu esses bispos cortesãos reunidos no Concílio em Bordeaux pedirem sua condenação, sua morte, e mandarem apedrejar sua pobre mulher, Úrbica, uma infeliz que decerto acreditava que o amor estava no seio da fé cristã. Terá mudado de opinião quando as pedras pontiagudas entraram em sua carne, quebraram-lhe os membros, furaram-lhe os olhos? Entretanto, Prisciliano foi a Trier confiante, o espírito cheio de sonhos, de fé, imaginando que seria julgado por um imperador equânime, que reconheceria nele um cristão sincero, um bispo de vida austera...

Julius Galvinius se levanta, volta à êxedra, diz que tem sede de vinho novo e retorna ao terraço segurando uma taça de prata cinzelada.

— Trier: o palácio do imperador, uma fortaleza... — murmura ele. — Conheço aquelas salas. Vi os cortesãos se rebaixarem numa humildade complacente, abrindo a boca apenas para bajular e se fartar de vinho do Reno e carne sangrenta. Máximo, em seu trono de ouro, vigiava esses animais vorazes ajoelhados em torno dele, como faria um domador. Martinho, o seu Martinho, participou desses banquetes...

Com um gesto, ele detém Antonius que quer protestar, objetar que Martinho nunca foi um cortesão, que ele se opunha a Máximo e até lhe predisse a derrota e a morte — e, como ele anunciou, Deus castigou o imperador e foi Valentiniano quem o sucedeu.

— Mais tarde, mais tarde... — refuta Julius Galvinius. — Daqui a pouco você me imporá suas mentiras. Quanto a mim, falo dos excrementos em que Martinho, como os outros bispos, patinhou na corte de Máximo. E, enquanto isso, eles julgavam Prisciliano, suspendiam-no pelos tornozelos em ganchos de ferro, queimavam seu corpo a ferro em brasa.

— Martinho não estava em Trier! — clamou Antonius. — Essa acusação é mentira!

O pai balança a cabeça.

— Você não sabe nada! Martinho sentou-se cara a cara com Máximo, aceitou a taça cheia que esse assassino, esse usurpador do trono do imperador Graciano lhe estendeu!

Ele solta uma gargalhada:

— Mas, afinal, Máximo não era um bom cristão, e Prisciliano um herege malvado? Ouça-me, filho: só os atos contam. Tudo mais não passa de delírios, falatórios, hipocrisia, mentira, perfume de rosas destinado a cobrir o cheiro de merda da corrupção e do crime! Eu tenho olfato apurado. Sei que Martinho de Tours, esse que você apresenta como um bispo inflexível e fiel, o homem santo em quem você enaltece a alma justa e a força de caráter, esse que você diz ter recusado todos os acordos com os grandes e lhe exalta a coragem, comungou com os bispos Ítaco e Idácio, os mais corruptos, os mais gananciosos que, a fim de conservar o poder, conspiraram para que Prisciliano fosse torturado e decapitado, acusando-o de heresia, e quiseram que o imperador Máximo mandasse perseguir e degolar todos os seguidores do dito herege. Fazer correr o sangue dos inocentes, isso lá é maneira de batizar?

— Mentira! — rebate sufocado Antonius outra vez.

— Eu tenho olfato apurado e memória longa... — murmura Julius Galvinius.

QUARENTA

Antonius Galvinius entrecruza os dedos, leva as mãos à boca como para se impedir de falar alto demais, de gritar de novo como fez quando tentou interromper o pai. Quer se obrigar a controlar a indignação, a amargura.

Inclina-se para o ancião que está deitado no leito que fica no fundo da êxedra. De olhos fechados, Julius Galvinius parece dormitar, porém, de vez em quando, levanta a mão esquerda, uma escrava se aproxima e enche-lhe a taça, obedecendo a um gesto dele. Ele bebe e se soergue um pouco, apoiado no cotovelo direito.

— Nada aconteceu como você disse, pai — murmura Antonius.

Ele se esforça para falar ponderadamente, para aparentar uma fisionomia tranqüila como a de Cristo pregado na cruz; cuida para que sua fisionomia não se contorça de dor, ainda que se possa adivinhar o que ele suporta, ainda que ouvir as mentiras de Julius Galvinius seja uma verdadeira tortura, pois cada palavra parece uma martelada enterrando um prego nas palmas de suas mãos, em seus tornozelos, em seus flancos.

Por que mentir assim? Por que enxovalhar a todo custo a memória de Martinho? Será que Julius Galvinius e tantos outros, pagãos ou hereges, é claro, temem a tal ponto o exemplo que a vida do bispo de Tours oferece? São os mesmos que negam a divindade de Cristo, os mesmos que se recusam a acreditar na Santíssima Trindade, os que seguem a doutrina de Ário e se empenham dessa maneira em desencaminhar os crentes.

Antonius fecha as mãos com tanta força que as juntas ficam esbranquiçadas. Precisa restabelecer a verdade, lembrar a coragem de Martinho, dizer quem foi ele realmente, não deixar que se propaguem a palavra mentirosa, as funestas calúnias do Diabo, não permitir que se repitam os julgamentos que condenaram Cristo.

É preciso crer na ressurreição da verdade.

O jovem sente vibrar sua voz. Tem a impressão de que deve reunir todas as suas forças para levantar a lápide desse túmulo onde Julius Galvinius quis enterrar a verdadeira vida de Martinho de Tours.

— Em Trier, no palácio do imperador Máximo — retoma Antonius —, os bispos haviam esquecido seus deveres. Você mesmo disse, pai, eles não passavam de bocas e barrigas insaciáveis. Estendiam a mão ao soberano. Concordavam em tudo com o imperador, e ele, Máximo, que sabia como contentar as almas fracas, os cobria de doações, de ouro e de glória, adulava-os, convidando-os para os banquetes no salão de festas. Mas todas as testemunhas viram Martinho recusar a se misturar com a massa dos cortesãos, e, aliás, todos se afastavam dele como se fosse um leproso, um mendigo de cabelos compridos, barba desgrenhada, em andrajos, com os pés nus. Zombavam dele, porém o temiam porque os fiéis se apinhavam em torno dele, do apóstolo que ousava dizer, mesmo no palácio de Máximo, que não partilharia da mesa de quem tirara a vida de um imperador e usurpara a legítima soberania de outro. O povo murmurava que, desse modo,

Martinho lembrava que Máximo devia seu poder imperial ao assassinato de Graciano e ao exílio de Valentiniano.

Antonius Galvinius desentrelaça as mãos, abre os braços.

— Isso é o que Martinho dizia em Trier, no palácio de Máximo. Tamanhas a sua coragem e a sua virtude.

Antonius pára de falar. O pai reabriu os olhos e balançou a cabeça. Sua fisionomia expressa desdenhosa comiseração, uma mistura de insolência e piedade que sulca rugas profundas ao redor da boca.

— Ele se refestelou, como os outros, nos tapetes da sala de jantar do imperador Máximo! — replica ele. — De que servem as palavras e as atitudes virtuosas de uma pessoa, se, no final, ela estende a mão da mesma maneira que os mais corruptos?

Julius Galvinius fica de pé.

— Conheci tantos soldados — diz ele — que, antes da batalha, se exercitavam girando os gládios, mas, quando os primeiros dardos atingiam seus escudos e lhes trespassavam o peito, arrepiavam carreira e fugiam a galope!

Dá uma risadinha e conclui:

— Martinho é um desses soldados: valente longe do inimigo, covarde quando este se aproxima!

Antonius entrecruza de novo os dedos como para rezar. Não deve se deixar dominar pela cólera, nem pelo sofrimento, esse doloroso espanto diante da incompreensão do pai em relação a Martinho. Será outra vez o Diabo que torna o velho cego e surdo?

— Nada aconteceu como você disse, pai. O imperador Máximo, em vez de se indignar com as palavras de Martinho, faz penitência diariamente e proclama, diante de todos os cortesãos, que venera, em Martinho, o homem santo que personifica a Gália católica, o mais determinado defensor da justa fé contra a heresia ariana e contra a de Prisciliano. Diz que é preciso seguir o exemplo de Martinho. Bate no peito e explica que não queria ser imperador, mas os soldados o elevaram a esta dignidade a despeito de sua recusa. Não foi assim também que Martinho foi eleito bispo de Tours? E, além disso, há a imperatriz que se ajoelha diante de Martinho, roga-lhe que aceite partilhar dos pratos que ele mesma preparou, como se fosse uma serva. Que Martinho veja o tapete que ela estendeu sobre um assento baixo onde ele poderá se deitar ao lado de alguns convidados, não dos bispos ataviados, não dos cortesãos e solicitadores, mas de Evodius, chefe da guarda pretoriana da Gália, de Marcelino, irmão de Máximo e de um tio do imperador, para um jantar entre os íntimos durante o qual Martinho poderá convencer o imperador a não fazer nada contra Prisciliano, e também ouvir o ponto de vista de Máximo. Um homem justo como Martinho poderia recusar-se a ouvir o homem que ele acusa? Poderia não ouvir um monarca que dá prova de tanta humildade? E quem sabe, depois de ouvir Martinho, ele não desistiria de brandir o gládio, de cortar o pescoço de um homem da Igreja como Prisciliano? Martinho poderia ignorar essa oportunidade que lhe foi oferecida de tentar impedir que o poder imperial substitua o da Igreja? Pois o imperador não deve julgar um bispo!

Julius Galvinius nem pestanejou. Terá ouvido? É preciso continuar:

— Martinho, portanto, aceita jantar com Máximo. A imperatriz indica-lhe o lugar, o assento baixo ao lado do de Máximo. Ele é o convidado de honra. Contudo, não quis ir sozinho a esse jantar, exigiu que um de seus padres o acompanhasse e fosse testemunha dessa recepção. Este poderá relatar o que Martinho disse, como ele se comportou, ainda que o cercassem de gentilezas, que a imperatriz lhe lavasse as mãos, lhe apresentasse os pratos, e o próprio Máximo mandasse que o servidor estendesse a grande taça de ouro ao bispo e não a ele, imperador, como exigia o cerimonial. Martinho segura a taça, aflora-lhe os lábios. Todos os convivas o observam, esperam que ele a ofereça agora ao soberano que já estende a mão para segurá-la. Que grande sinal o santo homem daria, se, num gesto de absolvição e reconhecimento, apresentasse ao imperador a taça que santificou com seus lábios! Martinho não cai nessa. Mas quem ousaria fazer o que ele fez? Desafiando Máximo, ele estendeu a taça ao padre que o acompanhava, assinalando assim que o mais humilde dos homens da Igreja, por ser soldado de Cristo, é superior ao mais glorioso dos homens do poder, ainda que seja o imperador das Gálias!

Antonius espreita o rosto do pai e inquieta-se com o sorriso que nele se desenha pouco a pouco.

— Nessa noite — continua ele —, o imperador Máximo declarou, e todas as testemunhas o atestam, que Prisciliano não seria julgado, e sua vida, portanto, seria salva; o poder imperial deixaria que a Igreja e seus bispos perseguissem a heresia; que a ela cabia salvar as almas, convertê-las à verdadeira fé, e não a ele, imperador cristão, pronto a erguer o gládio para defendê-la, mas somente a pedido dela. Logo na manhã seguinte, Martinho deixou Trier e foi para Marmoutier.

Julius Galvinius levanta-se num pulo, percorre a êxedra de um lado para o outro em passos rápidos, o que é espantoso num homem de cabeça branca que às vezes dá a impressão de estar paralítico pela idade e pelo cansaço.

— E o chefe da guarda imperial das Gálias — retruca virando-se para Antonius —, o que partilhou desse jantar com Martinho, o prefeito Evódio, o mais servil e o mais cruel amigo de Máximo, assim que Martinho sai de Trier, ordena, como já lhe disse, que Prisciliano seja submetido a tortura. E o infeliz — quem poderia reprová-lo — confessa tudo, reconhece todas as culpas que lhe são imputadas: herege, ele é, sacrílego, admite, pervertido e corrupto, sem dúvida! Confessa que presidiu assembléias de mulheres perdidas, que se meteu entre seus corpos, que as lambeu como fazem os cães, e sabe o que mais ele declarou? Que rezou nu como um homem possuído pelo que vocês chamam de Demônio!

O pai pára diante do filho e, com as costas da mão faz um gesto como se fosse degolá-lo.

— E o carrasco, com um único golpe do gládio, cortou a cabeça daquilo que já não era o corpo de um homem, o corpo de Prisciliano, mas um pedaço de carne ensangüentada, como a de um carneiro esfolado vivo.

Julius Galvinius, agora a passos lentos, arrastando os pés, volta a se deitar no leito.

— Bela façanha de Martinho, não é? — dispara fechando os olhos. — Por que seu deus não esclareceu o homem que se dizia soldado dele? Porque o deixou se comprometer com Máximo e permitiu que fosse ludibriado dessa maneira pela corte de Trier?

O ancião ri em silêncio, mostrando os dentes como fera cansada que ainda se dispõe a rugir e morder. Mas contenta-se em murmurar:

— A menos que seu deus quisesse que matassem Prisciliano. Quem sabe é isso que você vai alegar agora?

Ele fecha os olhos. Não vê que Antonius refuta suas palavras com um gesto de contestação.

— Deus deixa os homens livres — argumenta o rapaz. — E Martinho sabe que é responsável por seus atos. É por isso que ele se atormenta e se acusa quando soube, depois de ter saído de Trier, que o carrasco imperial executara Prisciliano. Ele voltou a Marmoutier. Poderia esquecer, pensar que fez o que deveria fazer, que não se deixou corromper, que permaneceu fiel a seus compromissos, que não abaixou a cabeça diante do imperador para conseguir um pouco mais de glória e de poder. Poderia até se vangloriar, dizendo que humilhou Máximo ao lhe recusar a taça que ele aguardava e entregá-la a um humilde padre. Mas ele não é desses prelados cheios de si. Ele se questiona: teria agido como devia? E fica indignado quando sabe que o imperador decidiu enviar um tribuno à Espanha para perseguir, prender, julgar e condenar os discípulos de Prisciliano para tirá-los da heresia, quando isso não passa de um pretexto. Na verdade, querem se apossar dos bens de Prisciliano, e é só uma questão de interesses entre o imperador e seus bispos: mais riqueza e poder para um, para os outros, o respaldo do gládio imperial para expandir suas dominações. Ouro e poder: é isso que sela a aliança entre o trono e o altar. Para eles, a luta pela verdadeira fé contra a heresia não passa de um álibi conveniente. Condenarão como hereges aqueles cujos bens despertarem a cobiça dos tribunos e dos prelados. Foi Martinho quem disse: "Vão julgar a heresia pela aparência, pela fortuna de uns, pela palidez do rosto ou pela vestimenta de outros, e não pela fé?" De modo que ele decide voltar a Trier, tentar de novo convencer Máximo a desistir de perseguir os partidários de Prisciliano. Ele deixa Marmoutier, percorre outra vez em lombo de burro o longo caminho até Trier, mas, quando chega diante da porta Negra e vai atravessar a ponte que dá acesso à cidade imperial, os soldados de Máximo cruzam os dardos e o impedem de prosseguir. Receberam ordens.

Antonius enfatiza em voz alta:

— Aí está quem é Martinho, esse que você acusa de acordos com o imperador! Ele, o bispo de Tours, tratado como um inimigo porque Máximo sabe que ele é incorruptível. Podem enganá-lo, ele é apenas um homem; mas não conseguiriam comprá-lo.

— E no entanto... — suspira Julius Galvinius.

O filho se levanta, afasta-se do leito, protesta com voz fremente que o pai não deve interrompê-lo, que só pode julgar Martinho depois, com base na pura verdade, não em mentiras.

Com um gesto cansado para demonstrar indiferença ou abatimento diante de tanta ingenuidade, o ancião convida Antonius a se sentar.

— Primeiro, é preciso falar da coragem de Martinho — continua o rapaz. — Os soldados poderiam prendê-lo, arrastá-lo a um fosso qualquer, estrangulá-lo e atirar seu cadáver no rio. Ele não passa de um homem sozinho, vestido como um mendigo. Sua única arma é a fé e, portanto, a proteção de Deus. Precisa de muita audácia para passar por baixo da ponte à noite, esquivar-se das sentinelas, entrar em Trier, deitar-se com os braços em cruz diante das portas do palácio real, atraindo a multidão de fiéis de modo a constranger o imperador a recebê-lo e ouvi-lo...

Diz que vem na paz de Cristo, que é portador da palavra Dele, que somente a Igreja pode julgar os hereges e, se o imperador é católico como pretende, deve dobrar-se a essa lei. Em torno dele, os bispos impudentes, sôfregos, tagarelas, o acusam. Não será também ele um herege?, insinuam. Aceitaria co-celebrar com eles, como um verdadeiro crente, a comunhão para marcar a eleição de Félix, o novo bispo de Trier? Martinho recusa. Máximo se espanta: "Félix será ordenado amanhã", insiste. "É um santo homem que não participou de modo algum do processo contra Prisciliano. O que tem Martinho a censurá-lo? Por que não se associa à comunhão com os outros bispos?" O imperador torna-se insistente, quase humilde...

— Já sei o que Martinho vai decidir! — gargalha Julius Galvinius, reerguendo-se. — Como sempre, o seu corajoso bispo vai ceder!

— Não! — clama Antonius. — O imperador logra Martinho. Máximo promete retirar seus tribunos da Espanha e mandar cessar todas as perseguições contra os discípulos de Prisciliano se Martinho aceder em comungar com os bispos pela ordenação de Félix.

— Acordo de parvos! — grunhe o ancião.

— Mas o que mais ele podia conseguir, se Máximo comprometeu a palavra? Sim, ele comunga, deixa Trier com o coração dilacerado. Talvez o tenham enganado, talvez ele esteja errado? Ele tem dúvida. Caminha sozinho. Mete-se pelas grandes florestas escuras. Ele não passa de um homem, repito, a quem Deus concede inteira liberdade. Um homem que se questiona: terá dado provas de fraqueza ao aceitar tão prontamente, ingenuamente, as promessas de Máximo, ao comungar com os bispos, dando assim o aval de sua virtude aos corruptos e ao imperador? Quem pode garantir que eles respeitarão os compromissos agora que conseguiram o que queriam? Quem pode proibi-los de perseguir, de desapropriar dos bens aqueles que eles qualificam de hereges?...

A cada passo que dá, Martinho se condena. Talvez tenha perdido a confiança de Deus?

Continua a caminhar, mas cada vez mais devagar, como se as forças lhe faltassem.

Em algumas horas chegará ao burgo de Andethanna. Por enquanto, está sozinho na floresta. Atravessa uma clareira. Perto de uma fonte, ele avista um tronco de árvore que o sol ilumina com uma luz filtrada pelas copas das árvores altas. Ele se ajoelha junto do tronco e reza. De repente, nos raios de luz, uma figura se delineia, um anjo, e uma voz murmura:

— Martinho, tens razão de sentir remorsos. Mas como podias agir de outra forma? Fizeste o que devias. Recobra a coragem, retoma tua firmeza habitual, sê resoluto como sempre foste. És responsável por milhares de almas. Quando duvidas de ti, duvidas de Deus. E assim porás em perigo tua missão e, portanto, tua salvação. Segue, Martinho, como fizeste até hoje. Deus vela!

Um ricto altera o rosto de Julius Galvinius.

— Eu morro de rir! — diz ele.

QUARENTA E UM

Cabeça baixa, braços cruzados, as mãos apertando os ombros como que para se agarrar em si mesmo, para não se afogar, não se deixar dominar pela correnteza tumultuosa que o invade, Antonius Galvinius caminha pela campina depois da tempestade.

Começou a chover desde de manhã e as trovoadas só se afastaram no fim da tarde, deixando um céu sombrio e pesado, um nevoeiro esgarçado preso nas copas das árvores. A água represada nas folhagens ainda escorre em filetes, desabando em grossas gotas quando uma rajada de vento sacode as folhas.

Antonius pára com freqüência. Estremece. Tem a impressão de ainda ouvir a risada do pai misturada com o rumor da água. Uma bola de metal bate em suas têmporas, e sua cabeça ressoa como um guizo.

Ele volta a caminhar em passos mais rápidos, a espinha curvada. Parece-lhe que o peito vai se partir ao meio tamanha é a dor em seu coração. Está sem fôlego. Uma matilha briga dentro dele, arranca-lhe pedaços de carne, engalfinhando-se e urrando. Ele se contém para não gritar.

Tem vontade de se ajoelhar nesse capim vergado pelas rajadas de vento e pela tempestade, na terra encharcada de água. Mas hesita. E se as palavras lhe faltarem? Se não souber mais dizer "Pai Nosso" com fervor?

Se a fé o tiver deserdado?

Se Deus Todo-Poderoso tiver perdido o interesse pelos humanos e os tenha abandonado aos demônios, ao medo, à morte sem ressurreição?

Se Deus tiver virado o rosto e deixado que os bispos se estraçalhem, uns apoiando o imperador e o bispo Félix, os outros acusando os dois; e, enquanto isso, os fiéis da Gália, no meio desses pastores em guerra, tiverem ido embora, vagando à mercê do Diabo?

Por que Deus deixou os seus ficarem cegos? Por que não lhes estendeu a mão para guiá-los no justo caminho? Por que mergulhou na dúvida o próprio Martinho, o mais valoroso de seus soldados?

Depois que saiu de Trier, e apesar das palavras consoladoras do anjo na clareira de Andethanna, Martinho continuou a sofrer e se repreender, sentindo, também ele, o coração dilacerado. Ele se recusou a ir aos sínodos e aos concílios de Milão, Nimes e Turim que tentavam reunir os bispos, pobres espíritos à deriva, que só serviam para trocar acusações de heresia e cisma sob um céu silencioso e indiferente.

Ó Deus!

Antonius fica imóvel. O céu ainda está sombrio, deixando apenas uma linha vermelha qual uma veia aberta sobre o cimo dos ciprestes.

Ó Deus!

Ergue os olhos. Queria que um raio o atingisse ali mesmo, que o aniquilasse, para que morressem com ele esses cães raivosos que continuam a lhe corroer o peito com os caninos que ele sente bater em suas costelas.

Ó Deus!

Ele tem a impressão de que já não pode se refugiar na prece, que o porto que a fé lhe oferecia até então desapareceu, e um enorme bloco negro esconde sua entrada.

OITAVA PARTE

QUARENTA E DOIS

Antonius Galvinius não se mexe, mas a terra lamacenta em que está deitado treme.

Ele sente que ela vai se abrir. Vai ser engolido por essa imensa boca devoradora, essa fera monstruosa que ruge sobre e sob ele.

Levanta a cabeça. A noite ainda não caiu, mas o céu uniu-se à terra, fechando o horizonte com uma cortina negra.

Agarra-se a tufos de ervas cortantes. Pouco a pouco a chuva impregna suas roupas que grudam em sua pele como um sudário gelado.

Bate os dentes.

Será o fim do mundo?

Volta a enfiar o rosto na lama. Lembra-se das profecias de Martinho que anunciam a volta de Nero e das perseguições, o retorno do reino dos ídolos e, o que é pior, a vinda do Anticristo que faria de Jerusalém sua capital;

os céus de todas as terras seriam percorridos por nuvens rasgadas pelos raios, sacudidas pelos trovões, até que, finalmente, Cristo aparece e aniquila o Ímpio.

Quem disse isso foi Martinho. Sulpício Severo relatou. Ele conta que o bispo de Tours, quando o recebeu, ajoelhou-se como o mais humilde dos escravos, lavou-lhe as mãos e os pés, serviu-lhe comida, depois o convidou a rezar com ele e disse-lhe que, na expectativa do apocalipse, era preciso abandonar os atrativos do mundo e os ônus do século para seguir o Senhor Jesus na liberdade e no desprendimento. Porque, a qualquer momento, Deus pode chamar cada um e é preciso estar pronto para se apresentar diante Dele.

Pois só Deus julga e só Ele decide do momento.

Antonius Galvinius aperta o capim entre os dedos com tanta força que ele lhe corta a pele.

Será a morte? Ela vai levá-lo justamente quando ele fugiu do pai para não mais ouvir suas palavras perversas e a risada zombeteira, quando desistiu de lhe responder, temendo que o veneno da dúvida se insinuasse em si mesmo?

— Perdoa-me, Senhor, eu creio em Tua onipotência...

Antonius reza deitado na terra, tentando inserir-se nela para impedir que o capturem, que o levem para as profundezas da morte.

Ele reza.

Se não duvida, por que teria medo de se apresentar diante de Deus, quando o momento vier?

A morte não soa para todos?

Ninguém lhe escapa. Foi assim que o imperador Máximo enganou Martinho. Acreditou ter derrotado o santo homem. Deve ter zombado da ingenuidade dele e, depois de manobrar os humildes para obter o que desejava, deixou que Prisciliano fosse condenado e perseguiu as pessoas que os bispos corruptos chamavam de hereges, arianos ou priscilianos. Mas os soldados do imperador Teodósio venceram e degolaram Máximo.

Antonius Galvinius murmura:

— Martinho predisse, Martinho advertiu. E o Senhor castigou Máximo, e o Senhor confirmou a profecia de Martinho.

Ele se ergue, ajoelha-se, deixa a chuva escorrer pelo seu rosto, pelo pescoço, bater em seu peito.

Ele reza:

— Creio em Tua onipotência, Senhor. Liberta-me da vida e deixa-me alcançar Teu reino.

Curva a nuca. Ele só aspira a recobrar a paz. Deseja submeter-se como fez Martinho.

Era no começo do mês de novembro do ano de 397.

Sempre acompanhado dos monges que caminhavam a seu lado, misturando suas vozes à do bispo, escandindo as preces no ritmo de seus passos, Martinho margeava o rio subindo em direção à cidade de Candes, uma das paróquias que ele fundara, na confluência dos rios Vienne e Loire.

Caminha devagar como se, a cada passo, a cada vez que levanta o pé do chão, uma dor lhe fisgasse o coração. No entanto, suas pernas carregam apenas um corpo frágil com os ossos furando a pele. Os jejuns a que ele se submete parecem ter estriado em seu peito longas cicatrizes paralelas, as marcas das costelas, e escavado seu rosto sob os malares e nas têmporas.

Seu olhar brilha, mas de vez em quando ele fecha os olhos como se o simples fato de abaixar as pálpebras o repousasse. A respiração é ofegante, o fôlego às vezes fica preso na garganta. Então ele abre a boca como os peixes que a correnteza atira na margem do rio e acabam morrendo após alguns espasmos.

Martinho pára. Contempla o rio. Vê as aves que voam rasantes à agua e, de repente, mergulham a cabeça nas ondas. Elas pescam um peixe que, por um breve instante, reluz em seus bicos antes que elas o mandem para o papo.

Martinho estende o braço. Sua voz, de início sussurrante, afirma-se e treme de cólera:

— Eis a imagem dos demônios — diz ele. — Eles espreitam, apoderam-se dos imprudentes. Amealham suas presas, depois as devoram. São insaciáveis!

Ele se persigna, solta um grito impositivo ordenando que as aves se afastem. Elas se reúnem e logo se vão num rápido bater de asas, abandonando o rio em direção às colinas arborizadas.

Martinho abaixa a cabeça como se o esforço exigido fosse demasiado. E volta a caminhar, entra na cidade de Candes, ouve as reclamações de uns e outros, apazigua as querelas que opõem bispos, monges e fiéis.

Ele está cansado.

Terá chegado o momento?

Martinho tem a certeza de que não poderá voltar a Marmoutier. Suas pernas não o agüentarão.

Os monges estão reunidos a seu redor. Ele murmura:

— Chegou para mim o momento de encontrar o Reino da Paz.

Ele treme. Está suando e sente frio.

Pede que estendam cinzas no chão e um cilício, uma coberta de lã áspera, dessas que, além de maltratarem a pele, não esquentam o corpo.

Ele vai morrer.

Ouve as lamentações dos monges:

— Pai, por que nos abandonastes? Os lobos vão se atirar sobre o Teu rebanho. Bem sabemos que Teu único desejo é Cristo, mas tuas recompensas não diminuirão por terem sido retardadas. Antes, tenha piedade de nós que nos abandonas!

Murmúrios. Preces. Quem pode decidir do momento senão Deus?

Martinho se deita sobre as cinzas e murmura:

— Senhor, se ainda sou necessário a Teu povo, não me furto ao sacrifício. Que seja feita a Tua vontade!

Ele reza:

— Enquanto Tu mesmo me ordenares, Senhor, eu servirei sob Tuas insígnias. E ainda que o desejo de um velho seja receber seu descanso, se me intimares a ficar a postos no Teu campo para continuar a exercer a mesma tarefa, não me furtarei nem invocarei as deficiências da idade, cumprirei fielmente a missão que me confiares...

Ele se encolhe. Tremores percorrem todo seu corpo. Mas ele se sente tão apaziguado internamente!

Mal escuta os monges que sussurram, rezam, propõem enfiar cobertores sob seu corpo febril para aquecê-lo, para que não fique em contato com o cilício, com as cinzas, com a pedra fria do chão.

— Um cristão só deve morrer sobre as cinzas — murmura ele. — Se lhes desse outro exemplo, eu teria pecado.

Ele se vira de cara para o céu, estende os braços.

Afasta os monges que querem ajudá-lo a se deitar de lado para que sofra menos. Sua respiração torna-se entrecortada, não passa de um ronco que parece tão doloroso que todo seu rosto se contrai a cada vez que respira.

Mas Martinho deseja olhar o céu e não a terra.

E, de repente, eis que ele se levanta. Uma expressão resoluta no rosto. Ele fala com voz clara:

— Por que estás aí perto de mim, besta sangrenta? — pergunta. — Não obterás nada de mim, maldito! O seio de Abraão recebe-me...

Os monges viram a cabeça em todas as direções como se procurassem a presença do Diabo junto de Martinho, mas, na penumbra, eles não vêem nada.

QUARENTA E TRÊS

Antonius Galvinius reabre os olhos. Caiu a noite. Ele ouve os sussurros.

Imagina de início que essas vozes abafadas sejam dos monges que rodeavam o corpo de Martinho, rezando em lágrimas e espantados com a serenidade do rosto repentinamente rejuvenescido, como se os sulcos e as rugas tivessem desaparecido. A pele estava tão lisa e branca como se as cinzas em que o corpo estava deitado não a tivessem sujado. E os monges começaram a repetir:

— Quem acreditaria que ele estava coberto de cinzas e cingido por um cilício?

Mas essas vozes que vinham da memória se calam, e Antonius reconhece as dos escravos de seu pai que se aproximam com tochas na mão. Em seguida, sobrepujando todas as outras, ele distingue a voz estridente, sarcástica, indignada, de Julius Galvinius:

— Está esperando o quê, Antonius? Que um raio o reduza a um monte de cinzas?

Agora ele está perto do filho.

— Vocês cristãos — prossegue — gostam muito de leitos de cinzas. Sentem prazer em maltratar seus corpos. Preferem os sofrimentos, as queimaduras e as feridas à suavidade dos óleos que as escravas usam para untar, massagear e acariciar a pele de seus amos. O que você quer, Antonius? Morrer?

O jovem se levanta. Suas roupas estão coladas no corpo. Ele treme. Responde que se sente, como Martinho, impaciente para encontrar Deus, mas submete-se à vontade do Todo-Poderoso.

— Eu não temo a morte — acrescenta —, mas não me recuso a viver. Que Deus decida.

— Vocês são o partido da morte! — exclama Julius Galvinius.

Com gesto brusco, ele empurra o filho como se temesse tocá-lo e quisesse mantê-lo a distância como se faz com um leproso.

Antonius cruza os braços. Essa hostilidade paterna o tranqüiliza. Foi o Diabo que provocou Martinho até a beira da morte, é ele quem o desafia.

— Não tenho medo da morte — repete. — Deus decide. Quem seguiu os passos de Cristo, quem se submeteu a Sua lei, quem acreditou Nele, esse conhecerá o Reino dos Céus. Por que um cristão temeria a morte? "O seio de Abraão me recebe", disse Martinho.

O ancião arranca uma tocha das mãos de um escravo e a aproxima do rosto do filho.

— Quero ver seu rosto! — grita. — Se eu queimar seu nariz, seus lábios, se eu cegar você, se atirar seu corpo vivo nas chamas, você berrará como qualquer outro homem e, se disfarçar a dor, nem assim me convencerá da verdade de sua religião. Eu posso...

Ele afasta a tocha, distancia-se alguns passos.

— Posso citar dez nomes de pagãos que a morte não atemorizou, que rasgaram o peito com o próprio gládio ou pediram que seus escravos ou o amigo mais íntimo os ferissem. Acreditariam que seriam recebidos no seio de Abraão?

Vira-se para Antonius:

— Você esqueceu Epicteto, Sêneca ou Catão que nunca tiveram medo da morte. Você ignora o que Sêneca disse: "Quem sabe morrer não consegue mais ser escravo. Ele se posiciona acima, no mínimo fora de qualquer despotismo." Você esqueceu que César, quando os conjurados o apunhalaram, escondeu o rosto e o corpo para morrer com dignidade. Vai dizer que César era batizado na religião cristã?

Ele sacode a cabeça e reaproxima a tocha do rosto de Antonius.

— Mas essa sua religião é a única a amar a morte, a amar a mortificação do corpo, a preferir o chão de pedra ao colchão de plumas, o cilício à maciez da pele de uma mulher, a fome, a sede, o jejum ao sabor do repasto, aos aromas e ao prazer do vinho, e a transformar a vida num caminho de espinhos, de poças e de pedras pontiagudas onde a carne se dilacera, numa busca de sofrimentos e não de alegrias! Então sim, a morte é alívio, e é a isso que se resume o que você diz.

Julius Galvinius continua enquanto se afasta:

— Vi os bárbaros se ajoelharem no campo de batalha depois de derrotados e oferecerem o pescoço ao gládio do centurião. Eles não temiam a morte e, no entanto, ignoravam Abraão e Cristo! Aceitavam morrer porque a morte ainda era um momento de suas vidas. O coroamento delas!

Ele se dirige para a vila iluminada pelas tochas presas nas paredes e pelas lâmpadas a óleo colocadas nos nichos. De repente, ele pára e vira-se:

— Deixe esta casa, Antonius! Você traz a morte. Os vermes pululam sobre os cadáveres e eu não quero de modo algum que eles invadam minha casa. Vá para onde sua religião o levar, para a cruz dos escravos e para o túmulo de onde ninguém jamais voltou.

Antonius avança para ele gritando:

— Para quem acredita em Cristo, a morte é ressurreição e promessa de vida eterna!

Julius o enfrenta:

Eu deveria matar você — ele diz dando um passo em direção ao filho que fica imóvel.

Contenta-se em dar de ombros.

— Mas não quero lhe dar essa alegria! — ri sarcástico. — Correria o risco de ver os fiéis de sua seita venerarem seu cadáver e o disputarem para saber quem, dentre eles, vai conservá-lo, quem erguerá uma basílica sobre ele.

Julius Galvinius sacode a cabeça e murmura:

— Os homens sempre continuarão a ter necessidade de deuses e de ídolos.

Faz um esgar de desprezo:

— Quem sabe você não é meu filho, mas sim de um escravo? Sua mãe os amava...

O ancião vira a cabeça para o alto e seus olhos sondam o céu, agora límpido.

QUARENTA E QUATRO

Ajoelhado, Antonius Galvinius apóia o ombro direito numa das quatro colunas que sustentam a abóbada da pequena basílica de Tours em cujo centro está o sarcófago que contém os despojos de Martinho.

Ele se debruça para tentar entrevê-lo atrás das fileiras de peregrinos apinhados na nave estreita.

Mas logo se afasta da coluna, cambaleia, teme cair no chão, morrer ali antes mesmo de ter conseguido tocar no sarcófago, de beijá-lo como fazem os peregrinos, de rezar com a testa encostada na pedra tumular e pedir graça e proteção a Martinho.

Antonius fecha os olhos.

Queria tanto salvá-la, a mãe da qual ele não tem lembrança alguma. Mas, durante todo o percurso entre a vila de Julius Galvinius e a basílica de Tours, ele não cessou de rezar por ela.

Foi por ela que ele andou tão depressa, os pés em sangue, por ela que ele se deitou nos fossos para não perder tempo à procura de um abrigo, por ela ainda ele se atrelou como uma besta de carga para conseguir um pouco de pão em troca do trabalho, a fim de ter forças para chegar a Tours e estar ali, sob esta cúpula, no meio da multidão que sussurra em prece — e é como se as alas laterais da nave começassem a vibrar.

Antonius Galvinius abaixa a cabeça.

É preciso que Martinho salve da condenação essa mãe que Julius, o pai dele, insultou na véspera.

Julius Galvinius zombou primeiro dos fiéis que disputaram o corpo do defunto na cidadezinha de Candes. Os de Poitiers lembravam que Martinho se tornara monge em Ligugé e tinham, pois, todos os direitos sobre o cadáver e o túmulo dele e, é claro — o ancião escarneceu —, direito a todos os benefícios que uma peregrinação proporciona. Pois esses fiéis, esses adoradores de ídolos — acrescentou ele —, iriam chegar aos milhares e reiteradamente de toda a Gália e até de além-montes e além-mares, e isso seria uma fonte de poder e dinheiro para os que conseguissem a posse dos restos mortais e sobre eles construíssem uma basílica.

Contudo, na noite seguinte à morte de Martinho, de 9 para 10 de novembro de 397, os fiéis de Tours aproveitaram-se do sono dos de Poitiers para se apossarem do corpo de seu bispo e levá-lo para uma embarcação que desceu o rio até Tours com o cadáver do santo homem na proa, com o rosto escondido por um grande capuz de lã ordinária.

Dizem que as aves acompanharam, em cortejo, a embarcação.

Em 11 de novembro desse mesmo ano de 397, quando os funerais de Martinho foram realizados em Tours, milhares de fiéis, entre eles dois mil monges, seguiram o esquife entoando hinos e rezando.

Foi assim que Tours se tornou cidade de peregrinação.

O bispo que sucedeu a Martinho, o depravado Brício, sim — Julius Galvinius repetiu várias vezes —, Brício, esse Brício que viveu cercado de corpos jovens dos quais se comprazia em abusar, Brício mandou construir uma basílica modesta para abrigar o sarcófago, e os peregrinos começaram a afluir, a beijar e lamber a pedra, a carregar o pó, e os paralíticos puseram-se de pé chorando de alegria.

Martinho os curara. E os cegos viam de novo.

Julius Galvinius de início ironizou, depois se indignou.

Enfim, quando Antonius respondeu que o poder divino de Martinho, a força do amor que prodigalizara aos homens eram tão grandes que, mesmo após o trespasse, ele ainda podia salvar e curar, o velho começou a bradar e a renegar esse filho de escravo.

Porque Julius, desde então, passou a ter certeza de que Antonius nascera do sêmen de um desses animais de rosto humano que são feitos para servir. A mãe de Antonius, aquela porca abjeta, abrira as pernas para todos os jovens porcos que achava a seu gosto nos dormitórios dos escravos.

E ele, Julius Galvinius, aceitara isso porque queria um filho e imaginara que seu sêmen de homem livre, de nobre cidadão romano, seria mais forte que o dos subumanos.

E acreditara nisso até que essa religião de escravos, esse culto a um crucificado que dominou o espírito de seu filho, revelasse que Antonius não passava de um escravo.

Arrependia-se de lhe ter dado o seu nome. Tivera razão em expulsar de casa a esposa, a porca. Agora, era o filho dessa mulher e sabe-se lá de que porco que ele bania por sua vez.

E Antonius deixou a casa paterna, perseguido até o fim do parque e até a fileira de ciprestes pelos insultos, as maldições, as palavras sacrílegas que, do terraço, o velho Julius Galvinius continuava a proferir.

Na pequena basílica de Tours, construída por Brício, o prelado libertino, Antonius levanta-se, apoiando o ombro e o quadril na coluna que lhe permite ficar de pé.

Um grupo de peregrinos esbarra nele.

Carregam, numa cama de varas, uma mulher com os membros amarrados, contorcendo o rosto. Às vezes, num espasmo, ela consegue soerguer o corpo mesmo amarrado, depois recai como que exausta, os olhos revirados.

Antonius Galvinius segue o grupo.

Ele tem a impressão de que essa mulher que geme, aprisionada como uma besta-fera apavorada, é a imagem de sua mãe que talvez tenha sido apedrejada, espancada até agonizar, abandonada sozinha na lama, sem o socorro de uma prece sequer. Mas, está convencido, ela devia ser cristã, talvez até uma das mulheres que o pai mencionou nos primeiros dias em que os dois começaram a conversar, uma das que introduziram em sua casa a figura de Cristo, aproveitando-se de ele ter ido combater os bárbaros.

Julius Galvinius informou que elas tinham sido castigadas, que foram todas mortas, condenadas pelos verdadeiros deuses. Certamente estaria entre elas essa mãe que Julius dizia que era uma porca, ocupada em cheirar os machos, toda molhada de desejo pelos jovens escravos, quando, na verdade, ela só queria — Antonius não tinha mais dúvida — convertê-los e ficava perto deles porque também eram filhos de Deus.

Ó mãe...

Antonius ajoelha perto dessa padiola feita de galhos de árvore em que está deitada a mulher com os olhos revirados.

Os homens que a carregavam colocaram-na diante do sarcófago de Martinho e rezam, vago lamento, mais alto que os sussurros dos outros peregrinos.

Antonius reza com eles.

Círios e lâmpadas a óleo iluminam o rosto da mulher. Aos poucos, o ricto que o contorcia se desfaz. As faces tornam-se lisas. Ela respira regularmente, soltando longos suspiros, de vez em quando, como se as cordas que a prendiam se desatassem.

E, de repente, no meio do que parece um sono tranqüilo, ela sorri.

Ó, mãe — salva!

Antonius Galvinius encosta a testa contra o sarcófago de Martinho de Tours.

NONA PARTE

QUARENTA E CINCO

Os peregrinos agora chegam a Tours aos milhares.

Eles param diante do pórtico da grande basílica erigida pelo bispo Perpétuo e consagrada a Martinho em 4 de julho de 471, dia do aniversário de sua eleição para o episcopado.

Ficam estupefatos. Nunca tinham visto uma igreja tão ampla e tão alta. Uma torre domina o pórtico. Ela se eleva a mais de trinta passos acima da abóbada da nave. E a própria abóbada é cinqüenta passos mais alta que as grandes lajes. É necessário outro tanto para percorrer a basílica de uma extremidade a outra e mais da metade para atravessá-la de lado a lado. Tapeçarias de cores vivas escondem as pedras cinzentas. A nave comporta dez traves e quarenta e uma colunas. Cinqüenta e duas janelas clareiam o interior da basílica. O sarcófago de Martinho está colocado no centro da abside. A claridade o ilumina permanentemente. Dir-se-ia que Deus vela por ele sem jamais perdê-lo de vista.

Os peregrinos andam em direção ao sarcófago como se o cansaço que os abatia tivesse desaparecido.

No entanto, eles passaram semanas a caminho, às vezes até meses, têm a poeira da estrada grudada na pele e as roupas geralmente em frangalhos.

Alguns têm os pés ensangüentados.

São os que atravessaram os Alpes ou os Pireneus para irem se ajoelhar diante do túmulo de Martinho, a quem chamam "o confessor venerado pela terra inteira".

A maioria partiu de alguma cidade dessa Gália cujas fronteiras são desenhadas pelos rios Mosa e Loire.

Amontoados em grandes barcos, às vezes se deixaram guiar pela correnteza dos rios, entoando salmos e rezando.

Outros seguiram os chefes francos, seus senhores, que também cavalgam para Tours para obter a proteção de Martinho, o católico, nas guerras que travam contra os visigodos, bárbaros cristãos, mas hereges, discípulos de Ário.

Todos esperam catar alguma relíquia no túmulo. Levam frascos de óleo que colocam sobre o sarcófago. Esfregam a pedra com um pedaço de pano, as *bradea* que logo guardarão junto ao corpo para que esses panos santificados, esses poucos fios entrelaçados afastem os demônios e a doença.

Muitos carregam paralíticos, crianças com os membros deformados. Outros conduzem os cegos. Mulheres cruzam as mãos sobre o ventre estéril na esperança de que Martinho lhes conceda a graça da fecundação.

Ali está uma criança com os joelhos dobrados sobre o peito, como que pegados ao torso, e com os pés revirados. Os pais a carregam e a colocam sobre o sarcófago, aspergem-na com o óleo de um frasco que deixaram algumas horas perto do túmulo. E a criança desdobra as pernas, os pés recobram a posição natural. O pai levanta a criança e mostra aos peregrinos. Os gritos, os cânticos, os prantos, as preces da multidão ressoam sob a abóbada e, como uma onda que flui, alcançam o pórtico onde outros peregrinos se ajoelham.

* * *

Ainda mais numerosos que em 4 de julho, são eles em 11 de novembro, dia em que se comemora a inumação de Martinho em Tours.

Alguns se aglomeram em volta das lâmpadas a óleo que ardem de cada lado do sarcófago. Eles recolhem em vidrinhos um pouco de óleo e os levam consigo. Outros raspam a cera que cai dos círios acesos ao longo do túmulo. Garantem que essa cera, enterrada nos campos, favorece a colheita.

Um homem pretende que o enfermo que beija um pedaço da corda que faz badalar o sino dos ofícios da basílica tem a cura garantida.

Outro jura que basta um punhado de terra apanhada em volta do monumento, até um pouco de pedra raspada das paredes, para curar as piores moléstias.

"Por ti, Martinho, foram salvos os que levaram relíquias com um espírito de piedade, dirá mais tarde o bispo Gregório. Tudo isso é uma fé valorosa que se obtém segundo a palavra do Senhor: 'Tua fé te salvou'."

Os peregrinos repetem.

Cortam os fiapos de lã das tapeçarias e os amarram no pulso, no dedo, no pescoço. E, depois que saem de Tours, por todo o caminho e em suas cidades, vão contar o que viram: a basílica iluminada, a criança curada, a mulher que enfim ganha fecundidade.

Cada vez mais numerosa é a afluência dos homens e das mulheres da Gália, e até os de além-montes põem-se a caminho de Tours.

Em suas cidades, outros consagram igrejas a Martinho, o bem-aventurado confessor, aquele a quem Deus concedeu uma parte de Seu poder e que, depois de morto, continua a amar e ajudar todos os que têm a fé valorosa.

E os novos batizados ganham o nome de Martinho.

E quando, no meio da clareira onde decidiram viver, os desbravadores constroem suas primeiras casas e erguem o campanário de uma igreja dão a essa aldeia o nome de Martinho.

E, nos campos cercados de paliçadas, os chefes francos, que governam a Gália entre o Mosa e o Loire, pensam que se puserem suas armas sobre o sarcófago de Martinho, se combaterem os bárbaros hereges em seu nome, serão vitoriosos.

Então, eles também se vão a Tours.

Num dia de inverno de 480, um desses cristãos entrou na basílica.

O frio era intenso. A neve obstruía os caminhos, os grandes rios arrastavam blocos de gelo.

Na nave, só alguns peregrinos rezavam. Os monges de Marmoutier rodeavam o sarcófago.

O peregrino manteve-se a alguns passos, não ousava se aproximar. Ajoelhou-se. Assim, de onde estava, observou que uma das placas trazia uma inscrição.

O homem não sabia ler. Passou a mão aberta sobre a pedra seguindo a sinuosidade das letras. Um monge chegou perto dele e murmurou que ninguém nunca prestava atenção a essa inscrição.

O monge sussurrou que, nesse mesmo lugar, algumas décadas atrás, existia uma modesta basílica. Naquele tempo, poucos anos depois de Martinho subir ao céu, os peregrinos eram menos numerosos. Às vezes, conseguiam que o bispo lhes concedesse o direito de serem enterrados na nave.

Quando o bispo Perpétuo resolveu construir a grande basílica, algumas pedras tumulares da primeira igreja foram utilizadas para pavimentar a nave em torno do sarcófago de Martinho.

E, acariciando a lápide, o monge acrescentou que era o caso desta pedra. Conta que ela evoca a memória de dois homens, pai e filho.

O monge passa os dedos sobre as letras: JULIUS GALVINIUS e ANTONIUS GALVINIUS.

O filho, Antonius, era um monge de Marmoutier. Vivia retirado numa das grutas da falésia. Às vezes, interrompia a prece para copiar os Livros sagrados. Um dia de manhã, um mensageiro trouxe-lhe a notícia de que os bárbaros hereges tinham levado seu pai, Julius, para Aquitânia e exigiam uma grande quantia para libertá-lo.

Antonius deixou Marmoutier imediatamente e partiu para o reino de Aquitânia a fim de propor aos visigodos que o aceitassem como refém no lugar de seu pai. Com certeza ele também esperava ser capaz de convertê-los à justa fé.

Julius Galvinius foi libertado, mas, alguns meses depois, soube-se que Antonius fora entregue a outros clãs de bárbaros pagãos que o crucificaram. Encontraram seu corpo martirizado.

Então, Julius Galvinius fez voto de morar na gruta que o filho ocupara em Marmoutier.

Ele ainda viveu vários anos no silêncio e na prece, rogando, como única graça, ser enterrado junto de Martinho, na basílica de Tours, e que o nome de seu filho fosse inscrito na lápide ao lado do seu.

O monge tomou a mão do peregrino e conduziu-a devagar, de tal maneira que as pontas dos dedos seguiram os contornos das letras e reconheceram: JULIUS e ANTONIUS GALVINIUS.

— Eles estão juntos — disse o monge.

Depois levou o peregrino até o sarcófago.

Quando faz bom tempo, os peregrinos chegam aos milhares, aglomeram-se na basílica, andam sobre a lápide funerária de Julius e Antonius Galvinius, sem vê-la.

Um dia, Clóvis, rei dos francos, que resolvera ir ao reino de Aquitânia para combater os visigodos, estava entre os peregrinos.

Impresso no Brasil pelo
Sistema Cameron da Divisão Gráfica da
DISTRIBUIDORA RECORD DE SERVIÇOS DE IMPRENSA S.A.
Rua Argentina 171 – Rio de Janeiro, RJ – 20921-380 – Tel.: 2585-2000